この国の「壁」

鎌田 實
Kamata Minoru

潮新書
053

潮出版社

はじめに

国連は、三月二十日を「国連幸福デー」と定めている。ジェイム・イエリンという国連顧問が提唱し、二〇一二年に採択（さいたく）された記念日である。

イエリンはインド・コルカタの路上に孤児として捨てられ、養子縁組によってアメリカに渡った。そんな彼は、幸福を共有することが自分の使命だと語る。幸福の定義を「年齢・国・信念・状況を超えた普遍的なもの」とし、世界幸福度ランキングという指標を作り出したのもイエリンだ。評価項目は、一人当たりＧＤＰ（国内総生産）・社会的支援・健康寿命・社会的自由・寛容さ・汚職のなさ・人生の主観的満足度などである。

その世界幸福度ランキングにおいて、日本は健康寿命などのいくつかの項目こそトップクラスだが、全体の順位は五四位（二〇二二年）と低い。仕事・家族・お金・家・自由・生と死・健康・人に認められること・心の平安——など、そこらじゅうに大小さまざまな壁が立ちはだかっているように思える。

二〇二二年の一人当たりＧＤＰで、日本は二十七位だった。年々ジリジリと後退し続けている。僕たちが信じてきた資本主義そのものも、いよいよ壁にぶち当たり始めた。

お金の話は大事だから、本書の第一章はお金の話から始めることにした。〝腐るお金〟の話である。お金に消費期限がつくと面白い。あるところにお金が貯まるから格差が生まれる。消費期限が過ぎてお金が腐ってしまうならば、皆が腐る前に使うから必要以上に貯まらない。資本主義社会を共感資本社会に変えることができれば、今よりもお金が生き生きと動き始めるはずだ。

投資は難しい。でも、「世代を超える投資」や「未来を信じる長期投資」となれば、自分のためだけではなく、この国のためを思って投資を考えられるようになるのではないだろうか。そんなことも考えた。

日本のクレジットカードや電子マネーの手数料は約三パーセントと海外に比べて高すぎる。ここにも壁が立ちはだかっている。他方、銀行窓口やＡＴＭの維持など、現金取引にかかる費用は年間で約一兆七〇〇〇億円。日本の世帯数で割ると一世帯あたり四万円も負担しているという。これでは世界から置いてきぼりにされてしまう。デジタル円を模索する必要がある。

希望がないわけではない。寄付文化劣等国と言われている日本だが、クラウドファンディングによってその姿が少しずつ変わり始めている。コロナ第一波の頃、対策を打つＮＰＯが資金調達をする時間が割けないとのことでクラウドファンディングを実施すると、約二万人から八億三〇〇〇万円が集まった。あるいは、クラスターが発生し、マスコミに叩かれた永寿総合病院を助けるためのクラウドファンディングには約五〇〇〇万円が集まった。

第二章では、壁を壊す新しい動きを取り上げた。ステージ４の進行がんになった医師は、標準治療という厚い壁に挑む。末期がんでも、抗がん剤ではない無理のない治療を受けられるのだろうか。本書は生と死のあいだにある分厚い壁にも挑んでいる。

人間が生きるというのは、どういうことなのか。そんな問いをＤＮＡやゲノムから考えてみた。がんや認知症の遺伝子を持っていたとしても、引き金さえ引かれなければ発症はしない。「ゲノムに時間を入れる」という発想があれば、人間の命がダイナミズムを生み出す。医療にもゆったりとした時間を入れると、周囲にそびえ立つ壁を突き破ることができるはずだ。

「生まれてこないほうがよかった」「苦しみがあるこの世に子どもを生まないほうがよい」——という反出生主義も取り上げた。絶望の壁や悲観の壁を打ち破るには、常識の壁を疑うことから始める必要があるのかもしれない。

第三章では〝壁壊し名人〟の尖った生き方を伝えようと思った。この国には至るところに壁がある。壁はどう壊せばよいのか。そのヒントが凝縮されている。大半の人々は孤独死を忌避するが、孤独死という言葉を「自立死」と言い換えれば、その見え方が変わってくるはずだ。一人暮らしを否定的に捉える人が多いものの、あるアンケートでは一人暮らしのほうが満足度が高いことがわかっている。果たしてそれはなぜなのかを解明したいと思った。

第四章では、命に焦点を絞った。コロナ禍のなかで立ち現れた壁。この間に、自宅で治療を受けたいという人々のために在宅医療革命が起き始める。未知の感染症が次々と生み出す新たな壁に向き合い、人々の命を土俵際で守った医療従事者らに光を当てた。絵本談義のなかでは、自由・勇気・戦争と平和・生と死について語り合った。

最後の第五章では、この国が直面する大きな壁——人口減少を扱った。暗い未来をどう回避するか。方法はいくらだってあるはずだ。

詩人の茨木のり子は、こんな詩を残している。

もはや
できあいの思想には倚りかかりたくない

もはや
できあいの宗教には倚りかかりたくない
もはや
できあいの学問には倚りかかりたくない
もはや
いかなる権威にも倚りかかりたくはない
ながく生きて
心底学んだのはそれぐらい
じぶんの耳目
じぶんの二本足のみで立っていて
なに不都合のことやある

倚りかかるとすれば
それは
椅子の背もたれだけ

壁は必ず壊せる。しかし、もしも壁が壊せないときには長期戦に備えて壁に寄りかかればよい。小さな風穴を開けるだけでもよい。穴が開かないときには、迂回（うかい）できる道を探したっていいじゃないか。

乗り越えられない壁はないし、壊せない壁はない。大切なのは、決して諦めることなく、常に顔を上げて壁に挑んでいくことである。本書を読んでそんなことを感じていただければ、それ以上の喜びはない。

鎌田實

この国の「壁」　目次

はじめに　3

装丁／清水良洋（Malpu Design）
本文ＤＴＰ／株式会社スタンドオフ

第1章

「未来を閉じる壁」を打ち崩すイノベーション

「皆が幸せになるお金」をつくることはできないか。

コロナ禍は僕たちのさまざまな価値観を転換しつつある。そのなかで、これまでは所与のものとして見てきた資本主義やお金などについて、僕たちは今後、どのように考えていけば良いのだろうか。ここでは金融業界の最前線で活躍する二人に話をうかがった。

一人は渋沢栄一の子孫であり、コモンズ投信株式会社の創業会長である渋澤健さん。もう一人は、株式会社ｅｕｍｏ（ユーモ）の代表取締役である新井和宏さんだ。いま、日本の金融業界でこの二人のことを知らない人はいない。初めに二人には、この業界に足を踏み入れ、自分で事業を始めるにいたった経緯を聞いてみた。

渋澤さんは小学二年生から大学までアメリカで過ごし、帰国後は国際関係のＮＧＯに勤める。そこで二年勤めた後に再び渡米して、今度はＭＢＡを取得。一九八〇年代という時代もあって、「ＭＢＡを持っている日本人なら」ということで、ニューヨークのウォール街で働くことになった。具体的には、二十代から三十代にかけてＪＰモルガンやゴールドマンサックスといった大手外資系金融機関で働いた。見るからに順風満帆な青年期と言えるが、そこからどうして独立することになったのか。

「二〇〇一年に四十歳になって『人生の半分が終わった』と思ったんですが、自分は何も成し遂げていない。残りの人生で自分に何ができるかを考え、会社を立ち上げました。

ちょうどその頃に、私の祖父の祖父にあたる渋沢栄一の言葉に出合ったんです。それ以前の私にとっては、渋沢栄一って鎌田先生みたいにいつもニコニコしているイメージだったんです。ただ、いろいろと学んでみると彼の言葉って怒っているんですよね。『もっと良い社会にできるはずだ』と、常に未来志向で現状に満足していないんです。当時ですでに一〇〇年以上前の言葉でしたが、思想としては現代でも十分に通用すると感じました。

時を同じくして長男が生まれ、彼が将来、家庭から巣立つ時のための応援資金を作ろうと思い、世代を超える投資として毎月定額のお金を積み立て始めたんです。その延長線上に、長期投資のためのコモンズ投信を二〇〇八年に立ち上げました。同時期から渋沢栄一の思想を学ぶ〈『論語(ろんご)と算盤(そろばん)』経営塾〉も始め、今年で一三期となります」

一方の新井さんは、母親が身体障害者であったことと、父親が交通事故に遭ってしまったことが重なり、大学は夜学に通わざるを得ないほどに経済的に苦労をした。その経験から「お金といえば銀行」という発想で銀行員になったという。その後、ある時に行内で運用部門に異動になり、後に外資系の金融機関に転職することになった。そんな新井さんが鎌倉投信株式会社を立ち上げたのは二〇〇八年。その経緯は次のような話だった。

「二〇〇七年に掌蹠膿疱症というストレス性の難病を患って会社を退職したんです。鎌倉投信を仲間たちと共同創業したのは、二〇〇八年に出版された坂本光司さんの『日本でいちばん大切にしたい会社』の第一巻を読んだのがきっかけでした。年輪経営で有名な伊那食品工業や、障害者を五〇年以上雇用している日本理化学工業の事例を読み、会社に対する考え方が一変したんです。それ以前は、会社はあくまで儲けの対象としか考えていなかったのですが、やり方しだいでは血が通うことを知ったんです。そこから利益の追求だけでなく、社会性も求める企業を応援する方法を考えるようになり、創業する運びとなりました」

格差を生まないお金をデザインする

僕と鎌倉投信との出合いは二〇一二年一月のことだ。僕はこの頃『日経マネー』という月刊誌で連載をしていて、レシピサイト運営のクックパッドや会員制食品宅配サービスのらでぃっしゅぼーやなど、これから日本を変えていくかもしれない会社に行って、その経営者たちと対談をしながら取材をしていたのだ。

鎌倉投信は、利益偏重（へんちょう）といわれる金融業界にあって、社会性を重視した会社への投資で注目を集めている。

しかし、新井さんは創業から一〇年が経った二〇一八年に同社を離れ、今度は「ｅｕｍｏ」を設立する。その背景にはどんな考えがあったのだろうか。

「鎌倉投信に注目が集まる裏側で、私としては悶々（もんもん）としていたんです。一番影響を受けたのは、日本では二〇一四年に刊行されたトマ・ピケティの『21世紀の資本』でした。彼はその本のなかで、現行の経済システムでは、格差は広がる一方だと主張しています。さらに、その時期には仮想通貨が台頭してきました。格差が広がり続ける仕組みのなかで、自分に果たすべき役割はあるのか。新たな格差を生むシステムを作り続けて良いのか――。そんなことを考えて悶々としていたんです。

鎌倉投信を退職したのは、自分の役割はもう果たしたと思えたし、若い人たちも育ってきていたからです。そのうえで、格差を生まないお金をデザインするために二〇一八年九月に「ｅｕｍｏ」を設立したんです」

渋澤健さん

未来を信じる力と「長期投資」

僕は素人だから、投資といえばすぐに「いくら儲かるのか」といった発想になる。それに比べて、渋澤さんが言う「世代を超える投資」というのは温かい響きがある言葉だ。この「世代を超える投資」について、渋澤さんに詳しく話を聞いてみた。

「見えない未来よりも見える現在に儲かったほうが良いと考えたくなる気持ちはわかります。だけど、人間には見えない未来を信じる力があると私は考えているんです。それは大きな力ではないかもしれないけど、小さな力なら小さな力で毎月それを積み重ねていく。そのことで見えてくる未来があるかもしれない。私は長期投資に対してそんなイメージを抱いています。いまこの時に結果を出す投資ではなく、次世代が豊かで健康に暮らすための投資。それが世代を超える投資です。

ある時にファンドマネージャーの友人から『渋澤さんがやろうとしていることは、渋沢栄一と同じですね』と言われたことがあります。というのも、渋沢栄一は一八七三年に日本最古の銀行である第一国立銀行を創設しているのですが、その時に『そもそも銀行は大きな川のようなものだ』と言っているんです。どういう意味かというと、銀行に集まってこないお金は『ぽたぽた垂(た)れているシズク』のようなものであり、それでは人の役に立ったり、国を富ませたりすることはできないと。しかし、それが銀行に集まってくると、流れが生まれ、やがては『大きな川』になる。つまり、大きな資金となって人の役にも立つし、国を富ませることにもなると考えたわけです。

確かに言われてみれば、未来を信じる小さな力を積み重ねるという私のイメージは、『シズク』がやがては『大きな川』になるという考え方と同じなのかもしれませんね。これは新井さんの鎌倉投信やｅｕｍｏにも通じることだと思っています」

新井和宏さん

――腐るお金

他方、新井さんは著書のなかで、お金には善悪はないものの付き合い方しだいで善にも悪にもなる――と述べている。この意図が気になった。

「そもそも私は、世の中には悪い人や良い人がいるわけではなくて、良い面が出る時と悪い面が出る時があるだけだと思っています。ならば、人の良い面を引き出せるお金をデザインすることはできないか。あるいは、払えば払うほどに人が幸せになっていくお金をつくることはできないか。そんなことを考えてきました。

それで行き着いたのがギフト（贈与）することなんです。実は、ギフト経済を前提としているお金って資本主義のなかにはないんです。ミヒャエル・エンデの言葉を遺した『エンデの遺言』という本のなかに『腐るお金』という言葉が出てきます。『腐るお金』とは有効期限があるお金という意味です。私はこの『腐るお金』こそがギフトに最適で、人の良い面を引き出せるし、人々を幸せにすると考えているんです。どうせ腐ってしまうのであれば、使ってしまうか誰かにギフトしてしまおう――。そんな感覚がすごく重要だと思うんです。腐らないお金は、それを貯蓄できる人に圧倒的優位性をもたらしますが、腐るお金であれば有効期限があるがゆえに流通するわけです」

実に面白い。僕は貧乏な家庭に生まれた。そのうえ、生みの親からも見捨てられてしまった。どうせゼロで生まれてきたんだから、死ぬ時にもゼロに戻れば良いと思っている。

エンデの「腐るお金」の感覚は、腐る前にお金は使う。言い換えると死ぬ前にお金を使うということだと思う。

二〇二二年の一年間で、ウクライナの子ども支援のために、僕が理事長を務める二つのNPOに三〇〇〇万円ずつ、合計六〇〇〇万円を寄付した。そのうちの日本チェルノブイリ連帯基金（JCF）のウクライナ支援には、たくさんの人たちの賛同があり、一年間で九〇〇〇万円を超える寄付が集まった。現地の子どもの声に応えて欲しいものを送る運動が評判を得ており、運動靴やスケート靴、クリスマスには映画館でポップコーンを食べながら映画鑑賞の機会をプレゼントした。外国に避難せざるを得なかった子どもたちに少しでもほっとしてもらったり、ニヤッとしてもらったりしようと考えてきた。

コロナ禍で病院が大変な状況に陥った時には、諏訪中央病院に五〇〇〇万円を寄付した。

二〇二二年に、生存科学に貢献したということでいただいた武見賞の賞金は、全額病院に寄付をし、患者の心が少しでも和らぐよう、病院の壁アートに使ってもらうようにした。

そして二〇二三年、この原稿書いているときには、トルコ・シリアで大地震が発生。シリアでも、反アサド政権が全く支援をしていない地域があることがわかった。僕が理事長をしているジャパンイラクメディカルネット（JIM‐NET）では、現地スタッフがアレッポ近郊の街へ薬や食料を届けることになったので、すぐに二〇〇〇万円を寄付した。こうした寄付が届くの

ウクライナの子どもたちに運動靴を寄付。ちょっとニヤっとする「ちょいニヤ」がいいかんじ

を見ていただきながら全国の人に募金を募る。これがカマタ流のやり方。

まず自分で少し汗をかく。そして、そこから大きなお金が動き出せばたくさんの人を救うことができると考えている。エンデの「腐るお金」の考え方はとても素敵。

新井さんが言うことは、そんな僕の考え方と通じる部分があるように思う。僕がそう言うと、新井さんはこんなふうに続けてくれた。

「そうですね。法定通貨としての円は貯められるお金なので、貯められないお金とか、流通させることを目的としたお金とかをつくることで、人々はより幸せになるんじゃないかと思うんです。そんな思いから、ｅｕｍｏでは二〇二〇年七月からソーシャルペイメントサービスとして電子マネー『eumo(ë)』

の運用を開始し、ギフト経済の仕組みづくりを始めました」

「ありがとう」が循環する社会

では、「eumo（ë）」とはどんなサービスなのか。詳しく説明してもらった。

「『eumo（ë）』にはチップとメッセージの機能があり、普通の支払いとは別に感謝の気持ちや共感を可視化できる仕組みになっています。ペイメントサービスなので、「ＰａｙＰａｙ」などと同様にアプリをダウンロードしていただき、加盟店でＱＲコードを使って決済できます。加盟店は現在三六〇店ほど（二〇二三年三月時点）で、今後はさらに増やしていく予定です。チャージ後の有効期限は三カ月としていますが、失効後はユーザーや加盟店の社会貢献活動に付与されます」

感謝の気持ちをチップとして贈与する。それが人々の幸せにつながる。そういう仕組みになっているのだ。このサービスを、渋澤さんはどんなふうに受け止めているのか。

「お金に色はないとはよくいわれますが、色がないなら色を付けようというのが新井さんの考え方ですよね。渋沢栄一はお金について『よく集め、よく散ぜよ』と言っています。つまり、お金をいかに社会に循環させるかを大事にしていたんです。

お金の使い方には消費・貯蓄・寄付・投資――の四つがあります。消費と貯蓄は自分のために行う『Ｍｅ』の視点ですが、寄付と投資は『Ｗｅ』の視点となります。コモンズ投信では『子どもトラストセミナー』という子ども向けのお金の教室を開催していて、そこでこの四つのお金の使い方を子どもたちに教えるんです。その時に必ず伝えるのは、お金が循環する際には常に『ありがとう』が存在しているということです。

お客さんは『ありがとう』と言って商品を買う。会社は『ありがとう』と言って代金を受け取る。会社には従業員がいて、彼らは『ありがとう』と言って給料を受け取る。会社は従業員に「ありがとう」と言って給料を払う。お金の循環には必ず『ありがとう』がついて回るんです」

共感資本社会

渋澤さんの話に対して、新井さんは「私は『eumo（ë）』を『ありがとう』が循環する仕組みにしたいと思っているんです」と述べ、次のように続けた。

「渋澤さんがおっしゃる『Ｍｅ』の視点だと、どうしても人は経済合理性を重視して『なるべく払いたくない』と考えてしまう。いまのお金はそういう人を増やす仕組みになってしまってるんです。だから幸せを感じられない。特に日本って、定価が生まれた国といわれていますよね。定価という概念（がいねん）によって曖昧（あいまい）さが失われ、関係性が切られてしまっている。チップの文化がないのもその一つの象徴です。

だから『eumo (ë)』では『今日は気分が良いから多く払おう』『素敵なサービスを受けられたから多く払おう』といったことができる仕組みを初めから実装（じっそう）したんです。そのことでギフト経済を回していこうと。『eumo (ë)』では、実際に六割の利用者が定価以上の支払いをしています。

加盟店の一つである『GOOD NATURE HOTEL KYOTO』（二〇一九年より営業開始）は、ＳＤＧｓ（持続可能な開発目標）が採択（さいたく）された二〇一五年よりも前から環境に配慮したホテルを計画しており、環境負荷の少ないシャンプーやトリートメントなどのアメニティも自社開発していました。当然、ものすごくコストがかかるので、一般的なホテルとの競争は厳しい面があります。ホテルの支配人は『だからこそｅｕｍｏに期待している』と言ってくださいました。社会性を重視した企業の現場を見てすごく感じたのは、まじめにやっている人ほど損をしているということです。ひとことで言えば原価率が高いんです。私たちは、そういう企業を応援しようと思っています」

新井さんは普段、「共感資本社会」という言葉を使っている。これこそまさに「ありがとう」

が循環する社会ということなのだろう。

「おっしゃるとおり、共感が資本となる社会という意味で使っています。資本主義をどう修正していくかという議論はすでにたくさんあるんですが、私は『主義』という考え方を外してしまいたいと思っているんです。資本主義でもなく、社会主義でもない、共感が資本になる社会を皆と一緒にどうデザインすれば良いかということを考えています」

見え始めたGDPの限界

最後に二人に聞いたのは「コロナ禍をどう受け止めているか」ということだ。初めに渋澤さんが興味深い持論を展開してくれた。

「明治維新以降の日本社会は三〇年周期で破壊と繁栄を繰り返しているように思っています。一八七〇年以降は江戸時代を破壊した三〇年。次の一九〇〇年以降は西洋列強に伍した繁栄の三〇年。それから、一九三〇年以降は第二次世界大戦と戦後の復興期という破壊の三〇年。次の一九六〇年以降は高度経済成長期という繁栄の三〇年。そして、一九九〇年以降は『失われた三〇年』といわれるように破壊の三〇年でした。つまり、コロナ禍は破壊の三〇年の最後に起きた事象であり、裏を返せば次の繁栄の三〇年の契機になり得る。私はそんなことを考えています。

ただし、日本銀行のＥＴＦ（上場投資信託）の買い付けなど、二〇一三年以降の異次元の金融緩和政策が常態化しつつあることを私は危惧しています。現状の日本は、中央銀行のバランスシートにリスク資産がどんどん増えている。新井さんが言うようにいまはフォローの風が吹いているからいいんですが、今後何かしらの大きな危機が起きた時には深刻な事態に陥りかねません。

私はＧＤＰ（国内総生産）やインフレ率といった指標を絶対視していません。インフレ基調を判断する際に、コア指数という総務省が発表する指標が用いられるのですが、実はここには食品やエネルギーが含まれていないんです。なぜならそれらは季節要因などの影響を受けやすく、変動しやすいから。学術的にはそれが正しいのかもしれませんが、食品やエネルギーって日常生活に欠かせないものですよね。だから、ＧＤＰやインフレ率、あるいは『平均』や『総額』といった言葉は冷静に受け止めなければいけないと思います」

渋澤さんの話を受けて、新井さんはこう述べる。

「おっしゃるように、いまではＧＤＰの限界に皆が気付き始めていますよね。ＧＤＰに代わるものとしてＧＤＷ（国内総充実）という指標も使われるようになってきています。そのあたりの変化はしっかりと見ておく必要があると思います。山口周さんが『ビジネスの未来』という本のなかで『エコノミーにヒューマニティを取り戻す』といったことをおっしゃっていますが、私たちｅｕｍｏもまさにそれを目指しています。

他方、私はとりわけ株高が大きな問題だと思っています。単にフォローの風が吹いているだけであって、上場企業の方々はこれを自分たちの実力と勘違いしないほうが良いでしょうね。そのうえで、いまこそ社会性を重視して後世に文化を残していこうとする姿勢が大切だと感じています」

幸福度の低い国

お二人の話はとても勉強になった。「Ｗｅ」の視点から寄付感覚で長期的な投資をする。あるいは、共感を可視化するためにお金をギフトする。そうしたお金の使い方が、自分の子どもや孫に喜ばれる社会をつくっていくのかもしれない。そんなことを僕が考えていると、渋澤さんがこう付け足してくれた。

「今後、日本が新たな成功体験を摑むためには、三つの言葉が阻害要因になると思っています。すなわち①『前例がない』②『組織に通らない』③『誰が責任を取るんだ？』――の三つです。

自分が前例をつくれば良いわけですすし、自分が良いと思うことを組織のなかで通すことが仕事というものです。責任は当事者や上司、経営者が取るべきもので、それ以外の誰にも転嫁できないのです」

国連が発表する「世界幸福度ランキング」で、日本は二〇二一年、五六位だった。このランキングのいくつかの指標のうち「人生選択の自由度」は世界のなかで七七位。「社会的寛容さ」は一四八位と、さらに絶望的だ。これらの指標は自分に余裕がない状況にあったとしても、寄付をしたり、チャリティをしたりする意識があるかどうかで測られているという。すなわち、日本人に〝ギフト〟の精神が少ないということだ。GDPが世界三位である一方で、個人の幸福度につながっていない現状を見ると、渋澤さんと新井さんの指摘はもっともだと頷ける。

もともと日本の幸福度ランキングは低下傾向にあった。ところが二〇二二年は前年に比べると、わずかだが順位を上げている。この内実はどうだろうか。幸福の分断がますます進んで、一部の富める人たちが、このコロナ禍でも利益を摑んだゆえの結果なのだとしたら、それはとても悲しいことだ。

日本銀行が二〇二二年に公表した統計によると、個人（家計部門）と企業が保有する「現金・預金」は、個人が一〇八八兆円。一方金融機関を除く民間企業では、三二三兆円という。とんでもないお金が眠っている。

二〇二一年の相続人なき遺産は六四七億円。これはすべて国庫に入った。自筆証書に、「死んだら、このお金を地域の子どもたちのために使ってほしい」など、ひと言書いておけばお金は生き生きと活力を見出す。そしてその人が生きてきた証明にもなる。

もっと驚きの数字がある。

認知症高齢者の凍結資産は二五〇兆円にものぼるという。本人が認知症になってしまうと家族でもなかなかお金に手を付けられないことも多い。認知症になった本人のケアのために使いたいと思っても成年後見人などを選んでおかないと、なかなかお金が自由に使えない。本人の意思がしっかりしている間に任意後見を選ぶという制度があるが、これもなかなか厄介。内科外来をやっていて、成年後見制度は結構不便だと感じていた。ほとんどの金融機関で口座を持っている本人が手続きをすれば、家族や自分の信頼する人に代理人カードを渡すことができる。これで自分の持っているお金が自分のケアのために自由に使われるようになる。お金を凍らさないこと。流すこと。生かすこと、が資本主義共感資本社会には必要なのだと思う。

このお金が動き出せば日本の経済も動きだす。上手にお金を使うことで幸福度も増してくるはずだ。

「貯金」より「貯筋」と言い続けてきた。九十歳を超えても、日帰り温泉に行ったり、レストランで好きなものを食べたり、芝居見物やコンサートに行くには、お金よりも筋肉を蓄えておく必要があると思ったからだ。もちろん貯金も大事。しかしその貯めたお金とどう付き合って、どう動かしていくか。これがとても大事なのだ。心のお金持ちになるために、寄付や相続や投資を通して、新しい社会づくりに自分が関わっていると思えることが大事なように思う。

ミヒャエル・エンデが言うように期限付きでお金を使わないと腐ってしまう仕組みにすると、もっともっといろいろなものが動き出すはずだ。日本人が作ってきたお金のイメージの壁を壊して、皆が幸せになる日本円にしたいものだ。

我々は次世代に何を残すのか——。コロナ禍が問いかけている。

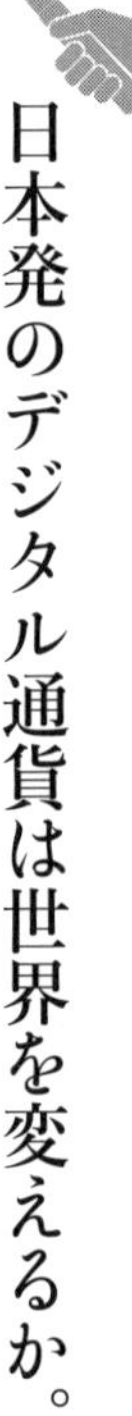

日本発のデジタル通貨は世界を変えるか。

「お支払い方法は？」

「キャッシュレスだと何が使える？」

「うちは○○と××ですね」

「あぁ……じゃあ現金にします」

電子決済が普及しつつある昨今、会計の際に店員さんとこんな会話をすることが増えた。便利になったのか、はたまた不便になったのか。そう思っている人も少なくないはずだ。

そんななか、カンボジアから驚くべきニュースが届いたのは二〇二〇年十月。なんと、どの先進国よりも先にカンボジア国立銀行がデジタル通貨「バコン」の運用を開始したのだ。しかも、その「バコン」をつくったのは二〇一六年創業の日本のベンチャー企業「ソラミツ」だという。

いまも多くの人々に途上国として認識されているカンボジアで、日本のベンチャー企業が

〝法定通貨〟としてのデジタル通貨をつくる――。このニュースには、僕たちが進むべき未来を示唆（しさ）する重要な何かがある気がしている。そこで今回は、ソラミツの代表取締役社長・宮沢（みやざわ）和正（かずまさ）さんに話をうかがうことにした。

「もともとは、ソニーで働いていました。テレビをつくったり、パソコンの『ＶＡＩＯ』を立ち上げたりして。だけど、一九九〇年代に入った頃には、これからはハードウェアではなく、ソフトウェアの時代だと思うようになっていたんですよね」

宮沢さんは、ソニー時代から「Ｅｄｙ」（現在は楽天Ｅｄｙ）の立ち上げに携（たずさ）わるなど、日本の電子マネー業界を牽引（けんいん）してきた人物だ。そんな彼の話によると、そもそもソニーが電子マネー事業に参画したのは、創業者の一人である盛田昭夫さんの意志だったそうだ。

「盛田さんがこんなことを言うんです。海外に行くと、一番いいところに銀行がドーンとそびえ立っている。なんで銀行はそんなに儲かるんだ。俺たちも銀行をやろう――と」

「ＶＡＩＯ」の販売のためにアメリカ・シリコンバレーに赴任（ふにん）していた宮沢さんが帰国したのは一九九八年。そのタイミングで電子マネーの新事業に誘われた。これからはソフトウェアの時代だ。かねてそんな思いを抱いていた宮沢さんは、「Ｅｄｙ」の開発のために奮闘することになる。ＮＴＴドコモが「ｉモード」を始めた一九九九年よりも前のことだった。

「当時の社長は出井伸之さんでした。出井さんって、ブランド名にすごくこだわる人なんです。当初は『Sマネー』や『サイフー』『ゼニー』といった案が出ていたんですが、どれも納得してくれない。『お前、センスがないな』なんて言われて(笑)。それで最後に持っていったのが『Edy』だったんです。『これ、読み方によっては〝イデイ〟とも読めるよな』なんて冗談を飛ばしながら、すごく気に入ってくれました」

乱立の電子マネー

「ユーロ＝Euro」「ドル＝Dollar」「円＝Yen」の頭文字を取って「Edy」。この名称には「世界で通用する電子マネーをつくる」との心意気を込めた。

出井さんからは「やるからには日本の勝ち組を集めなさい」との指示があった。ソニーがやれば、必ずパナソニックが対抗してくる。もしも、電子マネーの事業者が乱立したらユーザーにとっては不便だ。だから、勝ち組だけを集めるんだ——。

「出井さんの指示どおり、ソニーを筆頭にNTTドコモやトヨタ、メガバンクなどの出資によって、二〇〇一年に電子マネーの開発を行う新会社『ビットワレット』を設立しました。紆余曲折はあったものの、なんとか話がまとまったという感じでしたね」

しかし、宮沢さんたちの構想は道半ばで潰（つい）えてしまう。

「Ｅｄｙ」がサービスを始めたのとほぼ同じ時期に、ＪＲ東日本が電車などの交通系インフラで利用できる「Ｓｕｉｃａ（スイカ）」のサービスを開始。これには、ソニーが「Ｅｄｙ」のために開発した「ＦｅｌｉＣａ（フェリカ）」という非接触ＩＣカードが採用された。交通系インフラのみで使うことを条件に、ソニーがＪＲ東日本に販売したのだ。

「ところが二〇〇四年、ＪＲ東日本が『自分たちも買い物でＳｕｉｃａを使いたい』と言い始めたんです。さすがに『話が違うじゃないか』と思いましたが、相手方の意志は固く、残念ながらそこで袂（たもと）を分かつことになってしまったんです」

宮沢和正さん

当時すでに「Ｅｄｙ」はＡＮＡ（全日本空輸）が発行するクレジットカードに付帯（ふたい）されていた。それを受けて、「Ｓｕｉｃａ」はＪＡＬ（日本航空）と提携する。「Ｅｄｙ・ＡＮＡ」対「Ｓｕｉｃａ・ＪＡＬ」という対決構造ができあがり、二〇〇七年にはそこにセブン＆アイの「ｎａｎａｃｏ（ナナコ）」やイオングループの「ＷＡＯＮ（ワオン）」が新たに参入してくる。

「経済産業省からは、何度も『まとめられないか』と言われたものの、やはり難しかったですね。それどころか、いまとなっては『ＬＩＮＥ Ｐａｙ』や『ＰａｙＰａｙ』『楽天ペイ』なども出てきて、もはや日本は〝戦国時代〟の様相を呈しています。三〇種類くらいの電子決済ブランドのシールが貼ってあるお店なんかもあって、ユーザーにとっては不便で仕方ないですよね。私も何とかしなければと思っているところです」

自国通貨が信用できない

そんな宮沢さんがソラミツに入社したのは二〇一七年。同社ができたのはその前年のことだ。宮沢さんの入社後に舞い込んだのが、冒頭に触れたカンボジアのデジタル通貨「バコン」の開発だった。

「実は、当時のカンボジアはいまの日本と同じような状況でした。そこで、中央銀行が統一に舵を切ったんです。というのも、カンボジアは一九七〇年代後半にポル・ポト政権による大虐殺があったことから、現在は若い人たちが政治や行政の中枢にいます。そのなかにはハーバードやスタンフォードで学んだ秀才が多く、三十代・四十代のリーダーが新しい技術や世界の動向をよく理解しているんです。そうした人たちがブロックチェーンの技術（後述）を用いて、乱立する電子決済の統一に動いたわけです。そうして私たちにチャンスがまわってきたんです」

宮沢さんによると、カンボジア国立銀行が動いた背景には他にもいくつかの理由があったという。

カンボジアではポル・ポト政権後に自国通貨「リエル」の発行が再開され、中央銀行はシェア率の向上に努めてきた。ところが、米ドルが圧倒的に強いため、いまもリエルの占有率は約二〇パーセントに留まっている。したがって、中央銀行はリエルの為替レートをどんどん上げざるを得なかった。そうして、現在のレートは一ドル＝四〇〇〇リエル。そうなると、ちょっと買い物をするにも札束を持ち歩かないといけない。デジタル通貨であれば、そうした不便を解消できるのだ。

いっぽうで、中国が二〇二二年の北京五輪に合わせて運用を始めた「デジタル人民元」への警戒心もある。「デジタル人民元」が入ってくると、さらに自国通貨のシェア率が下がってしまう。だから急がないといけない。

他にも、銀行窓口やＡＴＭにかかるコストを削減する必要性もあった。農村部ではいまも銀行窓口やＡＴＭがないため、人々は壺にお金を入れて土に埋めているという。そうした人々もスマホは持っているために、デジタル通貨であれば利便性が各段に向上するのだ。

『『バコン』の運用が始まって一年で、二割程度だった自国通貨のシェア率は『バコン』利用者においては六割になりました。国民の利用率で言えば約五〇パーセント。一六七〇万人の人口のうち七九〇万人が使ってくれているのです。しかも、いまもひと月に一〇〇万人のペースで利用者が増えています」

世界最先端のブロックチェーン技術

「バコン」には、ソラミツが開発したブロックチェーン技術「ハイパーレジャーいろは」が使われている。簡単にいえば、これまでは中央集権型で一つの組織が管理していたものが、ブロックチェーン技術は参加する全員が情報の確かさを互いに見張ることにより不正や改ざんを防ぐことができるという違いがある。

同社のこの技術は、「リナックス・ファウンデーション」が世界におけるブロックチェーンのプラットフォームを決めるために開催した「ハイパーレジャープロジェクト」でＩＢＭやインテルの技術と並んで選ばれた世界でも最先端の代物(しろもの)だ。

デジタル通貨は、基本的にはビットコインなどの仮想通貨と同じブロックチェーン技術によ

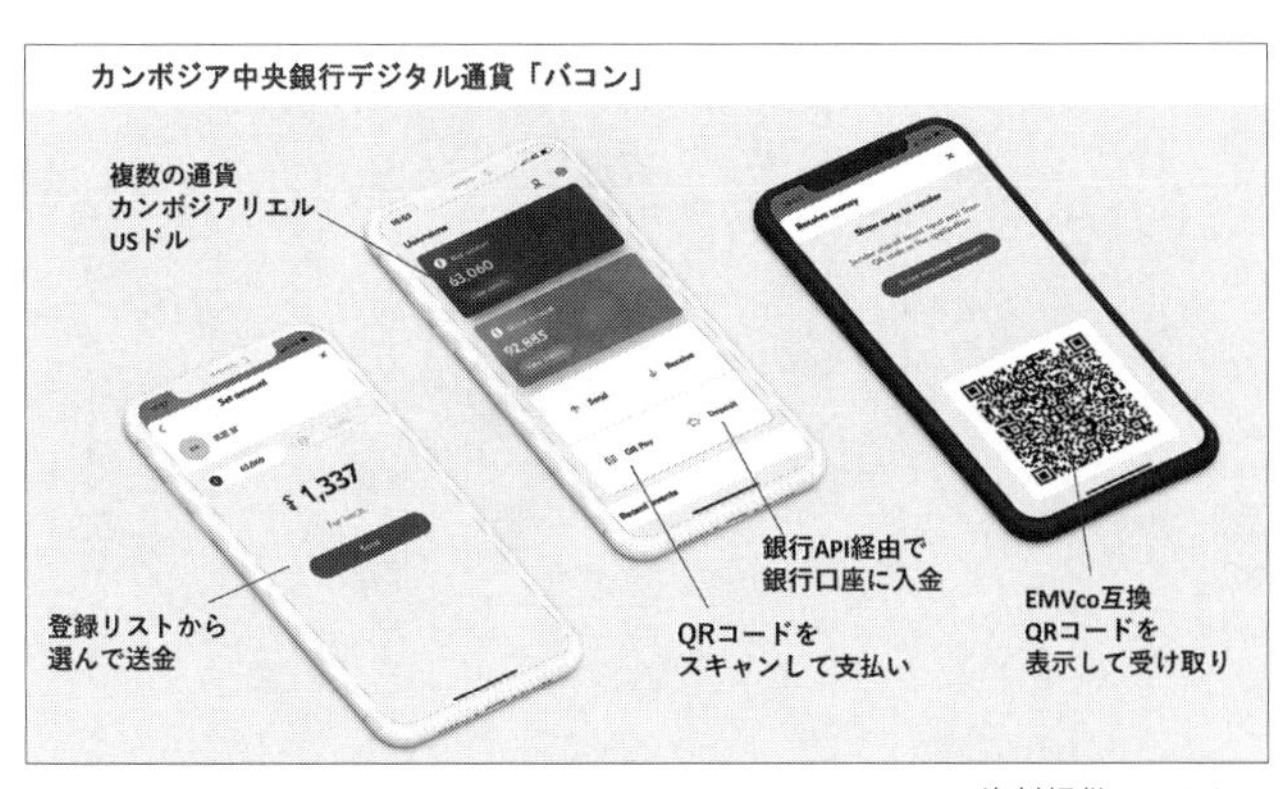

資料提供＝ソラミツ

ってできている。しかし、ソラミツの技術は、ビットコインでは一〇分ほどかかる支払いの時間を二秒に縮めたり、消費電力を大幅に削減したり、セキュリティ面を強化したりと、かなりの改良が行われているそうだ。しかも嬉しいことに、この技術の誕生には、東日本大震災からの復興がかかわっているという。

「福島第一原子力発電所の事故によって、福島の一部地域が避難区域となり、県内では少なからぬ産業が打撃を受けました。そんななか、会津若松市はコンピュータ理工学で国内トップクラスを誇る会津大学と協働し、市内にスタートアップのＩＴ企業を誘致したんです。そこに名を連ねたのがソラミツでした。なので『ハイパーレジャーいろは』の開発には、会津大学のインターン生もかかわったんです」

電子マネーの3パーセント手数料は高すぎ

話を日本国内の電子決済事情に戻そう。先に電子マネーの乱立のデメリットとして、ユーザーの利便性が著しく損なわれる点を挙げた。では、他にもいまの日本で僕たちがデメリットを被っていることはあるのだろうか。

「いま日本で使われている『ＰａｙＰａｙ』や『Ｓｕｉｃａ』などは、デジタル通貨ではありません。あくまでデータ上でいくらの決済が行われたかを記録しているだけで、お店は定期的に決済事業者にデータを送り、銀行振込によってお金を受け取るんです。なので、現金であればすぐに次の仕入れの資金になるものが、キャッシュレスだと売り上げの回収にタイムラグが出てしまいます。

しかも、お金そのものはいくつかの銀行口座を経由するため、その都度手数料がかかってしまいます。実は、日本はお店が負担する決済手数料が世界一高い国といわれているんです。日本では平均すると三パーセントの手数料が取られているのですが、例えば中国の『Ａｌｉｐａｙ』や『ＷｅＣｈａｔＰａｙ』だと〇・六パーセント、欧米のクレジットカードでも一パーセント程度なんです。あくまで店側の手数料ですが、店のコストが膨らめば、当然それは商品の価格にも反映されます。したがって、消費者にとってもいいことはないんです」

イノベーションのジレンマに陥る日本

決済手数料だけではない。宮沢さんは銀行窓口やATMの維持など現金取引にかかる費用のことも教えてくれた。その額は、なんと年間で一兆七〇〇〇億円。日本の世帯数で割ると、一世帯あたり四万円も負担しているという。

「高すぎ」の壁が日本にはある。これを壊さなければならない。

「日本の銀行は、これまで毎年多額のシステム投資を行ってきましたが、その投資は〝コンピュータは止まるもの〟という考え方が前提になっています。ところが、ブロックチェーンは止まらないし、それによってコストは一〇分の一程度に抑えられる。もちろん、コピーもできません。

そのことにカンボジアは気が付いた。ラオスも中国も、ヨーロッパもわかっている。アメリカもそう遠くないうちに使い始めるはずです。しかし、日本だけが使おうとしない。なぜなら、いままで多額の投資をしてきたからです。急にシステムのコストが一〇分の一になってしまったら、ソフトウェア販売業者の売り上げも一〇分の一になってしまう。『だったら、このまま古いままでいきましょう……』というのがいまの日本です。まさにイノベーションのジレンマに陥ってしまっているんです」

ここにも絶望的な古い壁がある。

さらに宮沢さんは「日本も、中国の『デジタル人民元』をはじめとした各国発のデジタル通貨の流入に、警戒しなければならない」と言う。

インバウンドによって中国人観光客が銀座の百貨店や家電量販店に押し寄せた際、多くのお店が「Ａｌｉｐａｙ」や「ＷｅＣｈａｔＰａｙ」を導入した。それと同様に、アフター・コロナに「デジタル人民元」が日本国内に流入する可能性は大いにあるというのが宮沢さんの見立てだ。

「『デジタル人民元』の利用は、すべての消費行動を中国政府に監視されることを意味します。また、中国政府に逆らうようなことをすれば、即座に口座を凍結されるかもしれない。中国政府はいまのところ、あくまで国内のみで普及させるとしていますが、実際にはアジア圏の国々にも進出するつもりだとの見方もあります。なので、アジア各国はどこも『デジタル人民元』を警戒しています。日本の財務省官僚と話をしていても、『経済安全保障上の危機』といった言葉をよく聞きますからね」

“デジタル円”はいつ実現する⁉

宮沢さんは、事業を通じて知り合った、ある国の人から「中国の人は儲からないとすぐに出て行ってしまうけれど、日本人は大変なときに一緒にやってくれる」と言われたことがあるという。宮沢さんの目から見ると、金融の世界では、中国と日本とでアジア諸国への接し方がまったく異なるという。中国は一貫して「私たちの人民元を使ってください」というスタンスだが、日本は「あなたの国の自国通貨を便利にするための技術を提供します」という姿勢なのだそうだ。

その背景には、二〇二一年七月に行われた「アジア太平洋・島サミット」で、菅義偉(すがよしひで)首相(当時)が参加国の首脳たちに約束したことが関係している。日本はアジア太平洋地域の金融インフラをサポートする――。この政策についた予算などを使って、ソラミツはいまラオスやソロモン諸島など、アジア太平洋地域の国々の中央銀行と、デジタル通貨の導入について検討を進めているのだ。

「私どものシステムが受け入れられるのは、現地でエンジニアを育てたり、現地で合弁会社をつくって、現地の人を採用したりしているからなんです。それが信頼につながっているのだと思います」

やるからにはデジタル円の一本化

日本にはすでに技術はある。となれば、やはり気になるのは今後の日本におけるデジタル通貨の動向だ。シンプルに言えば、日本銀行はいつ〝デジタル円〟を導入するのか。
「いまのところ黒田東彦（くろだはるひこ）総裁（当時）は、デジタル通貨の導入については二〇二六年頃に判断すると言っています。ただ、それまでに技術検証だけはしておくという姿勢です。仮に二六年に導入が決まったとしても、開発には四〜五年かかるため、日銀のデジタル通貨の運用開始は早くても三〇年頃になるはずです。

スマートシティの実現のためには、デジタル通貨が必要不可欠です。また、日本では二五年に大阪・関西万博が開催されます。ゆえに、日本の場合は民間が主導する形でデジタル通貨を普及させていかなければならないと考えています。そのときに重要なのは、電子マネーのときと同じ過（あやま）ちを繰り返さないことです。すなわち、デジタル通貨の仕様を統一することが大切なのです。

そこで私どもは、日本のデジタル通貨の一本化のために新たに『デジタルプラットフォーマー』という会社を創業しました。筆頭株主は、十数行の地方銀行を傘下に持つ『東海東京フィナンシャル・ホールディングス』ですので、まずは地銀にデジタル通貨を導入していこうと考えています」

実は、ソラミツは二〇二〇年に先述の会津大学とともに日本初のブロックチェーンによる地域通貨「Ｂｙａｃｃｏ（白虎）」の運用を始めた。宮沢さんによると、新型コロナに関する助成金を使って街の経済を活性化させたいと考える自治体は多いものの、その大半はプレミアム商品券などを紙で発行するのは大変だと考えているという。記憶に新しいところでは、新型コロナの支援策として現金を給付するか、クーポンを支給するかで議論が分かれたことがあったが、もしも地域通貨とマイナンバーカードが紐づいていれば、低コストかつ迅速に給付を行えるのだ。

「そうしたニーズから、現時点で三つの地方自治体が地域通貨を導入しています。また、すでに一〇以上の自治体がやりたいと言ってくれていますので、この一年のうちに二〇〜三〇の自治体が導入するはずです。日本では、まずは民間や地方がデジタル通貨を主導し、その後に日銀が導入することになるでしょう。おそらく、スピードの速い遅いはあるでしょうが、先進国は民間デジタル通貨主導で進んでいくと思います」

印象的だったのは、宮沢さんが最後に語ってくれた言葉だった。

「賛同者は増えてきたものの、まだまだ根強い反対派が存在するのも事実です。しかし、いま変えないと日本はさらに遅れてしまう。変革には痛みがともなうものです。転換点に立たされているいま、日本は勇気をもって変わらなければなりません」

日本は未来を閉じる壁を打ち壊すイノベーションを持っていることを忘れてはならない。日本発のデジタル通貨がアジアで広く使われるようになったら面白い。そのためには日本がデジタル通貨先進国になる必要がある。

現時点で日本がビハインドであることを嘆いても仕方がない。大切なのは、いまある日本の長所を自国のために、また世界のために活用していくことだろう。日本の未来は、そうすることでしか開けないはずだ。

本書校了直前の二〇二三年三月二十九日、財務省が「デジタル円」の将来的な発行へ向けた有識者会議を立ち上げる方針を固めたというニュースが飛び込んできた。これは「壁」に小さな穴が開いたのかもしれない。この穴がやがて大きな穴になり、近い将来には壁が壊されることを期待したい。

想いの込められた「お金」の流れが社会を変える。

外出自粛などの感染防止対策を講じながらの生活が始まって、しばらく経つ。この間、多くの人々が大なり小なり、ストレスやフラストレーションを感じてきたはずだ。イライラしたり、いまの状況をすべて誰かのせいにしたくなったり。

ネガティブな感情を抱いてしまうのも、ある意味では仕方がない。だけど、人はいつもイライラしているわけではないし、皆が皆、誰かに対して怒っているわけでもない。お人好しと言われるかもしれないけれど、僕はそう考える。

そこで今回は、コロナ禍において人々のポジティブな気持ちを見事に顕在化させたある企業の取り組みを紹介したい。話を聞いたのは、国内最大のクラウドファンディングサービスを運営する「READYFOR」代表取締役CEOの米良はるかさんだ。どんな局面でも希望は必ず見出せる。彼女の話からは、そんなことを改めて実感できた。

寄付文化劣等国の日本が変わり始めた

読者の方々のために、初めにクラウドファンディングについて簡単に説明しておく。クラウドファンディング（以下CF）とは、「群衆（ぐんしゅう）＝crowd」と「資金調達＝funding」を掛け合わせた造語で、インターネットを介（かい）して、団体などが不特定多数から資金を調達することを意味する。米良さんは、二〇一一年にCFを日本に初めて導入したその道の第一人者だ。

では、コロナ禍において人々のポジティブな気持ちを顕在化させたというのはどういうことか。「READYFOR」は二〇二〇年四月三日に、CFのノウハウやこれまでの事業によって築いてきたネットワークを生かし、「新型コロナウイルス感染症：拡大防止活動基金」を開設。わずか三カ月でおよそ二万人から約八億三〇〇〇万円ものお金を集めたのだ。この額は、現時点での国内におけるCFの史上最高額となっている。

集まったお金は、厳格な審査を経た団体の活動に対する助成に使われ、主に医療機関や福祉施設へのマスクや防護服などの配布、困窮（こんきゅう）家庭の子どもたちへの支援に充（あ）てられた。

実は、さだまさしさんが設立し、僕が評議員を務める公益財団法人「風に立つライオン基金」も、同年にこのコロナ基金からの助成を受けた。さださんと僕とで、厳しい面談を受けたのだ。

晴れて助成を受けられることになった僕たちは、そのお金を使って介護施設にマスクや消毒液を配布したり、感染症の専門家が介護施設に行って直接指導したり、感染対策を解説してもらった動画をＹｏｕＴｕｂｅで配信したりといった活動をした。

特筆すべきは、助成までのスピードが驚くほどに速いということだ。第一期の助成で団体に資金が振り込まれたのは、なんと基金を開設した二週間後のことだった。

僕は二つのＮＰＯ（非営利団体）で代表を務めていて、これまでに何度も国のお金を運用する組織から助成を受けてきた。その経験からして、申請から二週間で入金されるというのは考えられない。国の助成だと早くて数カ月、申請書類の訂正などが重なれば給付までに半年や一年かかることも珍しくはないのだ。米良さんは語る。

「集めたお金が何に使われているのかという透明性と、スピード感をもって現場にお金が届く仕組みということを、事業を始める頃からずっと意識してきました。お金が必要だから申請をしているのに、着金が半年後や一年後では意味がないからです。

米良はるかさん

コロナ禍は、これまでの自然災害とは異なり、状況が刻一刻と変化するという特徴があります。なので、私たちの基金では一カ月ごとに締め切りを設けて、第一期は医療現場にマスクや防護服を届ける団体に助成したり、第二期は支援が必要な女性のためのシェルターをつくる団体に助成したりと、変わりゆく状況のなかで、その時々の局面においてどの団体を助成するべきかを逐一判断してきました」

──クラウドファンディングが日本の姿を変え始めた

迅速だったのは助成までのスピードだけではない。コロナ禍を受けての初動も実に早かった。日本政府が最初に大規模イベントの中止や延期、規模縮小などの対応を要請した二〇二〇年二月末、「ＲＥＡＤＹＦＯＲ」はすぐにＣＦのサービス手数料を無料にした。

「ＲＥＡＤＹＦＯＲは、イベント事業者にもたくさん利用されています。イベントができなくなれば、売り上げがなくなるだけでなく、会場などのキャンセル料も発生します。そうした部分に少しでも補塡してもらえるように、手数料を無料にしたんです」（米良さん）

すると多くのイベント事業者から感謝の声が届いた。コロナ禍の影響がどの程度続くかはわからないが、苦境に立つ人々への支援策をどんどん打つ必要がある。社内で検討を重ねた結果、

「新型コロナウイルス感染症：拡大防止活動基金」の特設ページ（2020年12月31日に募集終了したもの）

米良さんはそう決断をした。こうしてコロナ基金の開設に踏み切ったのだ。

「コロナ禍において、とても重要な仕事をしているNPOなどの団体ほど、その忙しさから資金調達に時間が割けないという状況がありました。ならば、私たちが資金調達のお手伝いをして、皆さんには仕事に専念してもらおうと考えたんです」（同）

先におよそ二万人から約八億三〇〇〇万円を調達したと紹介したが、この二万人の内訳は企業や著名人がおよそ半数、個人が残りの半数程度だという。著名人では東北楽天ゴールデンイーグルスの田中将大投手をはじめ日本プロ野球選手会からの支援があり、企業ではソニーやアサヒグループが、従業員が寄付した金額と同額を寄付する仕組みを導入した。個人は一〇〇〇円から寄付をすることができる。

では、そもそも米良さんはどうしてＣＦを日本に初めて導入することになったのか。きっかけはアメリカへの留学だった。米良さんがＣＦのサービスを始めたのは二〇一一年。彼女がアメリカに留学したのは、その前年のことだった。

「ちょうどアメリカでＣＦが普及し始めた頃だったんです。もともとインターネットの仕組みに興味がありましたし、本当にお金が必要な人がうまく資金調達できていないことにも問題意識をもっていました。

出資や融資を受けてお金を手に入れられる人って、基本的にはお金を増やして返せる人ですよね。でも、世の中にはお金を増やすことはできないけれど、社会的意義のある活動をしている人たちはたくさんいます。アスリートの活動や、文化芸術の活動、あるいは社会的なＮＰＯの活動はまさにそうです。

誰かのためになったり、社会になくてはならない活動をしていたりするのに、資金調達ができない。資本市場のなかでお金が手に入らない人たちに、活動に賛同する人々の想いが乗ったお金を届ける仕組みをつくりたいと思っていたんです。ＣＦのことを知って、インターネットの力を生かせば、その思いが実現できると確信し、日本でサービスを始めることにしました」（同）

当初は、学生時代に一緒に研究をしていた東京大学の松尾豊(まつおゆたか)教授の会社の社内ベンチャーとして、必要最低限の規模でスタートした。二〇一四年に法人化し、二〇一八年に初めて出資による資金調達を行った。事業を始めた一〇年後のいまでは、ひとつのプロジェクトで数億円を集めるようなＣＦも増えてきた。米良さんは「ようやく日本にもＣＦが定着してきたかなと思っています」と語る。

基礎研究に二〇億円

二〇一八年に出資を受けたのには、きっかけがあった。前年の一七年、米良さんは悪性リンパ腫を発症し、治療のために会社を離れることになった。この事業を始めてから六年、ひたすらに走り抜いてきた彼女にとって、仕事と距離を取るのはこのときが初めてだった。

「半年ほど治療に専念し、病気は寛解(かんかい)したのですが、その間にどうすればＲＥＡＤＹＦＯＲをもっと社会に貢献できる会社にできるのか、といったことを考え続けたんです。

当時、すでに法人化から三年が経っていて、経営は黒字化していたものの、そこまで大きくはない利益を投資に充てていくというスピード感では、私が思い描く事業を展開するには時間が足りないと思いました。だったら、出資を受けてしっかりと新規事業やテクノロジーに投資していこうと決めたんです。

二十三歳で事業を始めたこともあって、病気をするまでは目の前のことに必死で、将来的に会社をどのくらい大きくするのかといったことを考えられていませんでした。ちょうど闘病をしたのが三十歳になる手前だったこともあって、そのことについてゆっくりと考えることができたんです。

想いの乗ったお金の流れをつくることによって、社会に大きなインパクトを与える。事業を始めたときから抱いていたこの思いの実現のために、人生を費やしていく。改めて、そう決断ができました」(同)

闘病生活が仕事に与えた影響はそれだけではない。彼女はR－CHOP療法という悪性リンパ腫の治療を受けた。リツキサンという薬を使ったのだが、実はこの薬はいまから一〇年ほど前に開発されたのだ。

「もしリツキサンが開発される前に病気になっていたら、発症から数年で亡くなっていたかもしれない。そう考えると、薬が開発されるかどうかってものすごく大きなことなんだと、身をもって実感しました。

ただ、薬の開発には大きな費用と時間がかかるため、どうしても需要が大きいものから優先的に開発が進みます。ならば、需要がそこまで大きくない難病などの希少な病気の薬の開発に、想いが乗ったお金を届けられないか。そう考えるようになったんです。そうした経緯から、いまは基礎研究などの分野の活動のサポートを行い、医療分野だけで二〇億円以上の支援金を届けることができました」(同)

医療に携わる人間として、僕はこの「READYFOR」の取り組みに大きな可能性を感じている。米良さんが言うように、新薬の開発には莫大なお金がかかる。国も民間の製薬会社を助成したりしているが、なかには採算性などの観点からなかなか開発が進まないものもある。

新型コロナワクチンの開発でも、日本は結果として欧米の先進国に後(おく)れをとった。そこにはさまざまな要因があるわけだが、良し悪しはさておき、財政面で国が製薬会社を助成しきれなかった面が要因にあるのではないかと思うのだ。そんなときに、もしも米良さんが言う個々人の〝想いの乗ったお金〟を製薬会社に届けられたら、きっと状況は好転するだろう。僕がそう言うと、彼女はこんな話をしてくれた。

想いの乗ったお金を届ける

二〇二〇年六月末、「READYFOR」で「頑張れ、永寿総合病院：地域医療の砦(とりで)を守ろう」

という タイトルのプロジェクトが始まった。プロジェクトを始めたのは同病院のOB・OGら。当時はまだ、政府がコロナ患者を受け入れる医療機関に十分な助成を行っていなかった。ゆえに、コロナ患者を受け入れれば受け入れるほどに病院は経営的に厳しくなっていった。その結果、満額の給与を受け取れない職員も出ていた。このままでは地域医療の砦が機能不全に陥ってしまう。そんな地元のOG・OBらが四〇〇〇万円を目標にCFを始めたのだ。

結論から言えば、同プロジェクトは約一カ月で目標額を大きく上回る約五〇〇〇万円を集めることができ、お金は職員への手当や給与の補塡分に使用された。このプロジェクトについて、米良さんはこう振り返る。

「必要とする人たちに想いの乗ったお金を届けられただけでなく、SNS（ソーシャルネットワーキングサービス）で拡散されるなど、大きな社会的インパクトを生むことができました。のちに政府は医療機関にしっかりと助成を行うことになりましたが、同プロジェクトがその政策決定の一助になっていると嬉しいなと思います。もちろん、政府はワクチンや新薬の開発にしかるべき助成を行うべきでしょう。ただ、国の財源には限りがある。人々が本当に必要だと思うならば、その思いを実現するための方法として、CFを活用してもらえればと考えています」

（同）

このニュースはインパクトがあった。僕が名誉院長を務める諏訪中央病院は、地域を守るためにコロナ対策病棟を設置し、コロナ患者のための病床を積極的に確保した。ところが当初、地方では陽性者の数は東京ほどではなく、コロナ病床が丸々空いているなんてこともあった。結果的にコロナ対策が病院経営の大きな負担になっていたのだ。

先のCFがニュースになって以降、政府はコロナ病床をもつ病院へ支援を始めた。「READYFOR」の取り組みがコロナ対応を講じる病院の経営崩壊を防いでくれたのである。

寄付文化は日本にはない？

たとえ数千円であっても、それなりの気持ちがなければ、お金を寄付したりはしないだろう。そう考えると、「READYFOR」に集まるお金は、政治の目から見れば確かな〝民意〟にもなるだろうし、ビジネスの目から見れば確かな〝需要〟になるはずだ。

実際に、コニカミノルタが過去に「READYFOR」で実施したCFに興味深いものがある。「PMSに悩むあなたへ届けたい！～セルフモニタリングツール開発へ」というプロジェクトだ。PMSとは女性の月経前症候群のこと。その名のとおり、月経前の数日間に起こる心と体のさまざまな不調を指す。

このPMSに対処するためには、日頃の体調を記録することが重要になる。そこで、無理なく毎日続けられるモニタリングツールを開発するにあたり、その資金の一部をCFで集めたのだ。最終的に目標額の五〇〇万円を大きく上回る六六〇万円が集まった。

「PMSの悩みは、一般的な市場調査では明らかにならない声だったんです。なので、まだ製品が開発されていない時点で、そんなツールがほしいと思ってくださる方の存在が明らかになるというのは、集まった金額以上に製品開発を後押しする要因になったわけです」(同)

「見て見ぬふりの壁」は壊れ始めた

二〇一七年に行われたある調査によると、アメリカの一年間の寄付額が三〇兆六〇〇〇億円だったのに対して、同じ年の日本の寄付額は七七五〇億円だったそうだ。昔からアメリカに比べて日本には寄付文化が根付いていないと言われるが、この数字は見事にそれを表している。

しかし、米良さんに言わせると、そんな状況は変わりつつあるという。

「ミレニアル世代やZ世代と呼ばれるいまの若い人々は、かつての若者よりも公(おおやけ)への意識が強く、社会課題の解決に強い関心を持っていると言われています。なので、自分が稼(かせ)いだお金を寄付という形で少しでも社会課題の解決のために使いたいという人が少なくありません。この一〇年でCFなどのテクノロジーが一般的になってきたことで、寄付という行為をより身近に感じられるようになった部分もあるように思います。

私自身は、日本に寄付文化がなかったわけではないと考えています。むしろ、地域社会を守ろうとする文化は昔からあったわけで、問題は寄付の募(つの)り方にあったんだと思うんです。ネット上の話をすれば、私が留学した頃の時点でアメリカの寄付サイトには、とても面白いものがたくさんありました。集まったお金が何に使われたのかが可視化されているなど、インタラクティブ（双方向性(そうほうこうせい)）があるんです。一方、当時の日本の寄付サイトにはほとんどそうした要素がありませんでした。

私たちは新しいテクノロジーを駆使(くし)し、ユーザー体験を向上させることで、もともと存在した気持ちにうまくアプローチできただけだと思っています」（同）

日本には見て見ぬふり、という言葉がある。この壁は冷たくて厚い壁だった。ところがこの知らん顔の壁が壊れ始めている。見てしまったものに知らん顔はしない。一〇〇〇円でもそこに寄付をすることによって、「見ているぞ。頑張れよ」というメッセージが送れる。日本の姿が少し変わり始めているのだ。

この世とあの世の間にある「壁」を越えてお金を生かす

最後に米良さんたちが始めた注目のサービスを紹介しておきたい。それは遺贈寄付サポートサービスだ。一般的に、遺贈寄付とは遺言による寄付を指すが、「READYFOR」の遺贈には相続財産による寄付も含まれる。

「例えば、ご家族をがんで亡くされた女性は、財産の一部をがん患者をサポートする団体に遺贈寄付することを決めてくださいました。当社のレディーフォー遺贈寄付サポートチームが寄付先団体の紹介や遺言書作成に関する相談・専門家の紹介などを行い、自筆証書遺言を作成していただきました。私たちとしては、おひとりおひとりの想いが込められた財産を、しっかりと未来に役立てられる団体に届けることで、皆さまの大切なライフ・エンディングをプロデュースできればと思っています。

ライフスタイルや価値観、家族の形が多様化するいま、築かれてきた資産の使い道を考える人が少なくありません。遺贈寄付は、そんな人々の思いを亡くなったあとにも実現し、社会に役立てることができる手段の一つです」(同)

詳しいことは、その道の専門家が電話やメール、LINEでの相談窓口で丁寧に教えてくれるそうだ。同サービスが始まったのは二〇二一年四月。開始半年で一五〇件以上の問い合わせがあったという。

ＣＦが日本に導入されて約一〇年。今後、これまで以上に多くの人々が、寄付という行為によって自分の思いを実現できるようになれば、それこそが、これからの日本の希望になる。僕はそう信じている。

第2章

生と死の境界線にある「壁」を崩して

〝尊厳〟に満ちた最期を求めて——がんステージ4の緩和ケア医の挑戦。

終末期患者の緩和ケアに従事していると、多くのケースで直面する問題がある。それは「スピリチュアルペイン」の問題だ。WHO（世界保健機関）は、生命が脅かされるような状況の患者には四つの苦痛があると定義している。すなわち、①身体的苦痛、②心理的苦痛、③社会的苦痛、④スピリチュアルペイン——の四つだ。日本の人々には、最初の三つは説明せずとも理解してもらえるはずだ。その一方で「スピリチュアルペイン」はどう説明してみても、あるいは説明されても、あまりピンとこない。多くの場合は「霊的な苦痛」と訳されるが、この訳がまた話をややこしくしているようにも思う。

日本の医療や介護の現場で長らく曖昧にされてきた「スピリチュアルペイン」——。これを実にわかりやすく解説した人がいる。これまで三〇年余にわたって緩和ケアの現場で多くの患者と向き合い、ベストセラーの著書『病院で死ぬということ』によって日本の医療界でのホスピス・緩和ケアという概念の定着に貢献された医師の山崎章郎さんだ。

「魂の痛み」をどう理解するか

山崎さんは、二〇一八年に刊行された著書『「在宅ホスピス」という仕組み』のなかで、「スピリチュアルペイン」の定義を試みている。「身体的苦痛」「心理的苦痛」「社会的苦痛」はいずれも「身体」「心理」「社会」という名詞が苦痛を生じさせる「おおもと」となっている。ならば、「スピリチュアルペイン」の場合は「スピリチュアリティ」という名詞が苦痛の「おおもと」となるはずだ。では、その「スピリチュアリティ」とは何か——。著書では、こんな具合に「スピリチュアルペイン」の定義のための検討が続いていく。そして、山崎さんは先に「スピリチュアリティ」を考察したうえで「スピリチュアルペイン」を定義する。

〈スピリチュアリティとは、どのような状況でも、自己のありようを肯定し、人間らしく生きようとする人間存在の本質的特性である。ただしその特性が発揮されるためには、真に拠り所となる他者が必要である〉〈スピリチュアルペインとは、真に拠り所となる他者の不在の結果、スピリチュアリティが適切に、その特性を発揮できず、その状況における、自己と他者との関係性のありようが肯定できないことから生じる苦痛〉——と。

「スピリチュアルペイン」を理解したいという気持ちから、いろいろと調べてみたり、専門家から話を聞いたりし続けてきた僕としては、山崎さんのこの定義が出色だと思う。山崎さんとは以前から助けたり、助けられたりの関係で、『「在宅ホスピス」という仕組み』を読んで、改めて僕は自分が〝山崎ファン〟であることを自覚した。緩和ケアに精通し、文学的・哲学的な文章で人間の生と死を表現する。山崎さんにしか書けない世界があると、僕は勝手に思っているのだ。

山崎さんには今後もいい仕事をしてもらいたい。著書を読んでそう期待していた矢先に、彼は大腸がんを患った。確定診断は二〇一八年九月。リンパ節への転移の疑いもあったが、いずれも手術で切除でき、術後には再発予防のための抗がん剤治療を開始する。ところが、半年後に両肺への多発転移が見つかり、進行がんの最終段階を意味する「ステージ4」の診断がついてしまった。それが二〇一九年五月のこと。

そんな山崎さんが、二〇二二年六月末に『ステージ4の緩和ケア医が実践する　がんを悪化させない試み』というタイトルの本を刊行された。これまで緩和ケアの専門医として著述活動をされてきた山崎さんが「がんを悪化させない試み」についての本を書くというのは、どういうことなのか。これは直接お話をうかがうしかない。山崎さんにお願いをして、刊行前の原稿を読ませていただき、オンラインでインタビューをさせてもらった。

――〝尊厳〟に満ちた最期を迎えるために

二〇二二年六月某日の午前中、画面に映る山崎さんは想像していたよりも元気そうだった。話を聞くと、その日も午後から三件の訪問診療があるという。「ステージ４」のがん患者でありながら、いまなお緩和ケアの最前線に立ち続けているのだ。

山崎章郎さん

もともとは外科医だった山崎さんが、緩和ケアに関心を持った経緯が面白い。一九七五年に外科医になった山崎さんは、一九八三年に船医になる。学生時代に読んだ北杜夫の『どくとるマンボウ航海記』の影響だという。

同年十一月から翌年三月初めまでの約四カ月を南極海底地質調査船で働き、その船の上で読んだキューブラー・ロスの『死ぬ瞬間――死にゆく人々との対話』に目が開かれたそうだ。

「第一章に、幼い頃の彼女が経験したエピソードが出てくるんです。木から落ちて重傷を負った人が、自ら望んで病院ではなく住み慣れた家で大切な人々に囲まれて死んでいく。その様子が、私が経験してきた臨終(りんじゅう)の場面とはまったく違ったんですね。例外なく心臓マッサージと人工呼吸を行ってから、ご家族に臨終を伝えていましたから」

人は、こんなにも〝尊厳〟に満ちた最期を迎えることができるのか――このエピソードによって、当時の終末期医療の現状を変えようと決意した山崎さんは、下船後の一九八四年四月から再び一般の医療現場で働きながら、あるべき終末期医療を模索して前出の『病院で死ぬということ』を書かれた。その後は緩和ケア病棟、そして在宅と、場所こそ変わりながらも緩和ケアの取り組みを一貫して続けてきたのだ。

「死後の世界」をどう考えているか

話の流れのなかで、ふいに山崎さんから僕に質問が飛んできた。先生は自分が死んだあとのことって考えたことありますか――。考えることはあるけど、僕は死後の世界はなくてもいいかなと思っている。率直にそう答えると、山崎さんはこんな話をしてくれた。

「私も以前は、死後の世界に関心があったわけではないんです。ただ、終末期の患者さんと接していると、体感的には半数以上の人々が死後の世界があると思っているんですよ。『自分が死んだらどうなると思いますか』って聞くと『宇宙から生まれたんだから宇宙に還る』とか、そんなふうに捉えている人が多いんです。

私が続けて聞くのは『死後の世界があるとすれば、会いたい人はいますか』。するとね、大半の人は『お母さんに会いたい』とおっしゃる。なぜか『お父さんに会いたい』という人は少ないんです。さらに私が『亡くなるときには、お母さんに迎えに来てほしいですか』と聞くと、患者さんは『もちろん』と答える。

そこまで会話が進むと、私はこんなふうに申し上げるんです。じゃあ、お母さんにバトンタッチするまでは私がお付き合いしますからね——って。そうすると患者さんは笑顔になりますし、なかには『よろしくお願いします』と言って握手してくる人もいるんです。

死が消滅や喪失ではなくて、再会の希望になっていくんです。そんな経験を数多くしてきて、いままさに自分自身がステージ4のがん患者になってみると、死後の世界はあったほうがいいというか、あってほしいなと思うようになりましたね」

さっそく〝山崎節〟が健在であることが確認できた。山崎さんが医師として多くの患者さんの最終段階に立ち会ってきた経験のなかで、特に印象に残ったのは彼が敬愛する芥川賞作家の重兼芳子（しげかねよしこ）さんの話だった。

芥川賞作家の壮絶な死

山崎さんが聖（せい）ヨハネ会桜町病院で緩和ケアを始めた一九九一年の時点では、同院にはホスピス病棟がなく、一般の病棟を使っていた。ここに新たにホスピス病棟をつくろうという話になり、そのときにボランティア組織を創設した立役者の一人が重兼芳子さんだったのだ。山崎さんは彼女のことを「飲み仲間でもあり、敬愛する盟友（めいゆう）でしたね」と語る。

重兼さんが大腸がんと転移性肝臓（かんぞう）がんの切除手術を受けたのは一九九一年七月。手術は成功したが、半年後に肝臓にがんの再発が見つかった。再発がわかったあとには抗がん剤の肝動脈注入療法も行ったが、がんは増大し続けた。山崎さんが彼女の主治医になったときには、重兼さんはがんを抱えて生きていくことを決めていたという。ところが、あるときにがん治療の専門医から「切除手術も不可能ではない」という話を聞いて、重兼さんの心は揺れ始める。

「ちょうどホスピス病棟をつくっている最中だったんです。新しい病棟の完成を自分の目で見てから死にたいという気持ちがあったのでしょう。重兼さんは、難しい手術にチャレンジすることを決められました。私としては、内心では決して賛成ではありませんでしたので、執刀医には手術が難しいことや術後の経過なども本人に丁寧に説明するようにと手紙を書きました。その説明を受けても本人がチャレンジすると言うなら、応援しようと思ったからです。重兼さんは『医者から怖い話をされたのよ』と言いつつ『でも、私頑張る』と手術に臨まれました。

手術は無事に終わったのですが、術後の状態が悪く、最終的に重兼さんはＩＣＵ（集中治療室）で救命目的のさまざまな機械やチューブに囲まれて亡くなりました。彼女が夢見たホスピス病棟での平穏な最期とは真逆の姿とも言えますよね。ただ、ベッドに横たわってチューブにつながれている重兼さんの姿からは〝尊厳〟を感じたんです。外形的には誰もが望まない姿だったんですが、彼女は『新しいホスピス病棟を見たい』という強い思いから、最後までチャレンジを選択した。そこに人間としての〝尊厳〟があったのだと思うんです」

真に拠り所となる他者の不在

船の上で読んだキューブラー・ロスの幼少期のエピソードしかり、盟友との最期の思い出しかり、緩和ケアに取り組んできた山崎さんの考えの根底には、人間としての〝尊厳〟に対する温かなまなざしがあることがよくわかった。そこでいよいよ、僕はインタビューの本題に入ることにした。緩和ケアの専門家が、なぜ「がんを悪化させない試み」についての本を書いたのか——。その答えには、患者としての山崎さんの〝尊厳〟が大きくかかわっていた。

「ステージ4」の診断が出たあと、山崎さんは主治医から外来での抗がん剤治療を提案された。しかし、再発前に受けた予防目的の抗がん剤治療の副作用が強すぎたこともあって、山崎さんはその場ではすぐに返事ができなかった。「一カ月ほど時間をください」と言って、いろいろと調べることにしたのだ。

「副作用のつらさを考えると、とても日常の営み（いとな）を続けることはできないだろうと思ったんです。そもそもステージ4の固形がんに対する抗がん剤治療は、治癒を目指す治療ではありません。それでも抗がん剤治療が標準治療となっているわけです。がんの種類にもよりますが、その奏効率（そうこう）が二〇パーセント程度でも、標準治療薬として認められているんですよね。また、効果があっても数カ月から数年の延命が期待できるという程度です。私も副作用がまったくないのであれば、抗がん剤治療にチャレンジしたかもしれませんが、それよりも最後まで日常の営みである仕事を続けることを優先したんです」

一般的に、標準治療を断ってしまうとがん治療の専門病院からは「もう通院はしなくてもいいですよ」と言われてしまう。病院で標準治療以外の治療を施（ほどこ）すわけにはいかないわけだから、それはごくあたりまえの話だ。しかし、抗がん剤治療をしない旨を伝えた山崎さんが主治医に

「数カ月に一回でもいいので、外来に来ていいですか」と尋ねたところ、医師は「もちろんどうぞ。もしも抗がん剤治療を希望したくなったら、いつでもできますからね」と言ってくれたそうだ。そして実際に、三カ月に一回のペースでCT検査を受けさせてくれているという。山崎さんは「突き放されなかったというのはとても嬉しいことでした」と語る。

ここで先に引用した山崎さんによるスピリチュアルペインの定義を思い出してほしい。山崎さんは、「真に拠り所となる他者の不在」こそが、スピリチュアルペインの要因の根底にあると指摘していた。副作用がつらく、できる限り仕事を続けたいというがん患者が抗がん剤治療を断った際に、もしも医療機関から突き放されてしまったとしたら、それこそが「真に拠り所となる他者の不在」という状況を生み出してしまう可能性だってあるはずだ。山崎さんが主治医の言葉に抱いた感情は、緩和ケアを行う医療従事者に重要な視座を与えてくれるものだと僕は思う。

――末期がんでも無理のない治療は受けてみたい

「ステージ4の固形がんになると、抗がん剤治療が標準治療となります。標準治療は、公的医療保険を使って受けることができる治療です。つまり、いかなる理由であっても抗がん剤治療を断ってしまうと、がん治療に関しては、公的医療保険を前提にした継続的な医療機関とのつながりが難しくなるという現実に直面するわけです。

そうなると、抗がん剤治療を選択しなかったステージ4の固形がん患者は、不安に苛(さいな)まれながら手探りで終末期を過ごさなければならなくなります。なかには、標準治療を真っ向から否定したり、高額な免疫療法などの怪しげな代替医療や民間療法を推奨する医師さえいるのが現状です。

未知の経験を強(し)いられ、常に不安を抱えながら過ごす。そんな終末期のがん患者には、まさに拠り所がないんです。そうした人々の拠り所になれればと思って、医師である私が合理的・理論的だと判断した代替治療のなかからお金がかからないものを、一人の患者として試してみようと思ったんです。治癒ではなく少しでも長く生きるという標準治療と同じ目標を設定して、抗がん剤治療とは別の少しでも長く人生をまっとうできる方法を模索しようと。そうした試みをまとめたのが、拙著『ステージ4の緩和ケア医が実践する　がんを悪化させない試み』なんです」

「怪しい。山崎、お前もか！」という見えない声

同書のなかでは、山崎さん自身が実践した「ＭＤＥ糖質制限ケトン食」や「クエン酸療法」「少量抗がん剤治療」などが検討され、そのうえで山崎さんが導き出した「がん共存療法」が提唱されている。ただし、山崎さん自身も「はじめに」に書いているとおり、この治療法にはまだエビデンスがなく、あくまで「試験的治療」だという。「はじめに」には、こんなことも書いてある。

〈代替療法に関して皆様から、特に医療現場の皆様から、「山崎、お前もか！」といった、落胆や、嘲笑、侮蔑の声をいただく部分もあるだろう。それは覚悟のうえで提案させていただいた〉

ここにある「山崎、お前もか！」というのは、インタビューのなかで山崎さん自身が言っていた「怪しげな代替医療や民間療法」に対して、標準治療を行う医療従事者らは職業倫理の観点から冷ややかな目で見ているという背景があっての言葉だ。このあたりの山崎さんの立場は、鮮明にしておく必要があるだろう。

「私は何も標準治療を否定しているわけではありません。重要なのは、選択肢があることだ

と思うんです。現状では、私のようなステージ4の固形がんの患者には、公的医療保険の下では、標準治療である抗がん剤治療しか選択肢がありません。しかも、それは治癒ではなく、延命を目指すものです。

ここまで来ると、どのような治療を受けるかという選択が、どのように残りの人生を生きるかという選択に直結してきます。それはまさに、人間としての〝尊厳〟と言えるのではないでしょうか。一人ひとりの患者が置かれた状況によって、それぞれに最善の治療の選び方、生き方の選び方があるように思うんです。私はあくまで標準治療を尊重しつつ、その標準治療から脱落せざるを得なかった人たちの選択肢を広げたいと思っているんです」

山崎さんも認めているように、彼が提唱する治療法は今後、きちんと科学的にその確からしさが検証されなければならない。それについて、現時点で僕から言えることは何もない。そのうえで、もし仮に山崎さんの治療法が確たるエビデンスを得られなかったとしても、それとは別次元の話として決してないがしろにしてはならないのは、先にも述べた〝尊厳〟という視点からの彼の主張だ。

山崎さんが言うように、現状の標準治療としてはステージ4の固形がん患者には抗がん剤治療しか残されていない。そしてステージ4では抗がん剤治療をしても多くは治らないこともよくわかっている。にもかかわらず、抗がん剤治療しかないという厳然とした「壁」がある。副作用のつらさや価値観などからそれを選ばなかったときに、医師の言葉遣いなどから「医療から見放された」と感じてしまうならば、それは大きなスピリチュアルペインとなって、患者を苦しめるだろう。山崎さんからは、緩和ケアにとって重要な宿題をもらった気がする。一人の〝山崎ファン〟として、僕もこの宿題について、真剣に考えていこうと思う。

進行がんの標準治療の壁に挑む

ステージ４の進行がんにおいて、標準治療の壁は厚い。ステージ４を宣告された人たちには難しい選択が待っている。もちろん、がむしゃらに治療を受けるという選択もある。しかし、もう治らないのなら無理な治療はしたくないと判断する人たちがそれなりに多くいるのも事実だ。

なにより大事なのは自己決定である。山崎さんのところには、彼の思いに賛同したステージ４の患者さんたちが少しずつではあるが集まってきている。いい効果が出ることを祈っている。治療方法を選べることが大事なのだ。ステージ４の患者さんに標準治療と緩和ケアの間に新しい選択肢ができる時代が来ることを待っている。

山崎さんの両側肺のがんは、大きくなったり、小さくなったりを繰り返している。すい臓がんや胃がんの場合はほとんどないが、他の固形がんの場合は、がん細胞が自然になくなるケースがある。山崎さんとはいつかまた「あの時はがんがあったけど……」と振り返りながら対談がしたい。心からそう願っている。

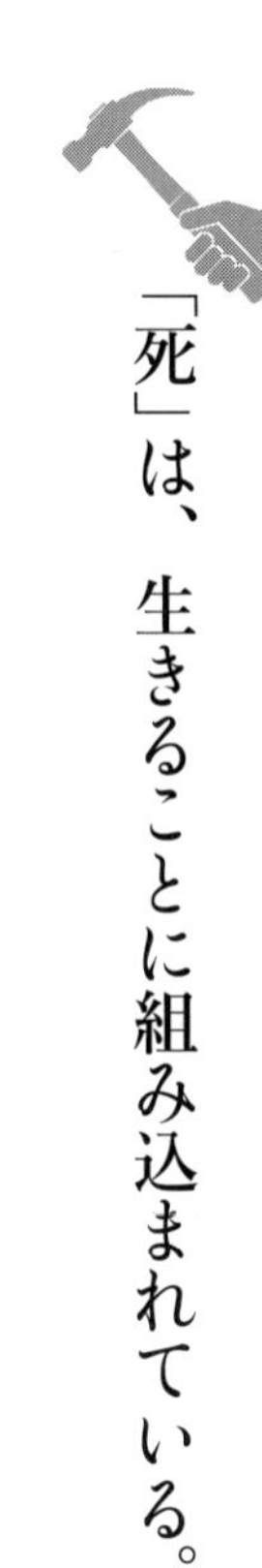

「死」は、生きることに組み込まれている。

社会の混迷が深まるいま、改めて実感していることがある。それは命の大切さについてだ。パンデミックによって多くの人々が命を落とし、ロシアによるウクライナ侵攻では罪のない大勢の一般人が亡くなっている。いったい誰がこんな二十一世紀を予想しただろうか――。

そんななか、二〇二二年二月に一冊の対談本が刊行された。タイトルは『人間が生きているってこういうことかしら?』。著者は、ゲノム研究から三八億年の生命のつながりを見つめてきた生命誌研究者の中村桂子さんと、山梨県で四〇〇〇人以上の命に寄り添ってきた在宅ホスピス医の内藤いづみさんだ。

本書では、僕が昔からよく知るお二人が、それぞれの立場からさまざまな角度で〝命〟について語り合っている。読み終わると、なんだか直接お話を聞きたくなったので連絡をしたところ、お二人とも快諾してくださった。

初めにうかがったのは、本のタイトルについて。対談を行って、原稿にまとめたあとに編集者が提案してきたのは「生きているって〝どういうこと〟かしら？」というタイトルだったそうだ。これについて、内藤さんは「最終的には中村先生のご意見がビシッと通ったんです」と振り返る。まずは中村さんに、その意見について聞いてみた。

「〝どういうことかしら？〟って問いはとても大事なんですけど、私たち年長者の役割としては、この歳まで生きてきたんだから〝こういうことかしら？〟って言ってしまってもいいんじゃないかと思ったんです。どれも小さな体験ですし、ときどき間違うかもしれないんですけど、〝こういうことかしら？〟というのが、いまの私の率直な気持ちなんです」

先述のとおり、中村さんは長年にわたってゲノム研究に従事してきた生命誌研究者だ。「生命誌」とは、ひとことで言えば生命の歴史物語を読みとること。中村さんの専門性を理解しておくために、僕もあまり区別がついていなかった「遺伝子」と「DNA」と「ゲノム」がそれぞれ何を意味するのかをうかがった。

遺伝子、DNA、ゲノムってどう違うの？

「DNAはデオキシリボ核酸の略だから、モノの名前です。これが遺伝子としての大事な役割を果たします。他方、ゲノムは人間の細胞のなかに入っているすべてのＤＮＡの塊のことを指します」

　そう説明してくださったうえで「ぜひ皆さんに知っておいてほしいことがあるんです」と中村さんが話を続けてくれた。

「『遺伝子』という言葉は昔からあったし、『遺伝』という言葉については『親からの遺伝』といった感じで日常会話のなかでも使われてきました。ただし、遺伝子とは何かということが科学的に説明できるようになったのは、つい最近のことなんです。具体的には、一九五二年に行われたアメリカ人の遺伝学者であるハーシーとチェイスによる実験によって、遺伝子とは何かがわかったんです。

中村桂子さん

　ウイルスの場合、ＤＮＡやＲＮＡの外をタンパク質が包んでいます。構造的にはＤＮＡやＲＮＡよりもタンパク質のほうが複雑ですので、実験以前は後者こそが遺伝子だと思われていました。ところが、細胞に感染させてみると、残ったのは単純な構造の前者でした。

こうして遺伝子の正体がわかったのです。現代の人々はなんでも科学で説明がつくと思いがちですが、いまわかっていることは昔からすべてわかっていたわけではないのです」

認知症遺伝子があっても引き金を引かなければ発症しない

DNAこそが遺伝子であり、その塊をゲノムと呼ぶ。ならば、ゲノムには全遺伝子が入っているのだから、人のすべてはゲノムによって決定付けられるのだろうか。そんなふうに考えてしまいたくなるが、それは大きな間違いだという。

「すべてが入っているものの、それだけでは人のすべては決まらないんです。ここが大事なポイントです。どんな環境で過ごしたのか。何を食べたのか。どんな空気を吸ったのか。どういう気持ちで過ごしたのか。そういったことが、遺伝子のはたらき方に大きくかかわりますから」

中村さんによると、認知症やがんはさまざまな遺伝子がかかわりあって出てくるという。また、認知症やがんにつながる遺伝子を持っていたとしても、引き金さえ引かれなければ発症しないまま人生をまっとうすることもできる。これは、僕が長らく続けてきた健康づくりの取り組みを裏付ける話でもある。つまり、引き金が引かれないようにするために、運動をしたり、野菜を食べたり、ストレスを溜めないようにしたりといったことが大切になるのだ。

ゲノムに時間を入れる

この対談本のひとつの特徴は、お二人の詩的な言葉遣いにある。例えば、僕がもっとも興味深いと思ったのは〝ゲノムに時間を入れる〟という表現だ。この意味について、中村さんに聞いてみた。

「科学の世界で求められているのは〝時間を切る〟ことですよね。時間を短縮したり、効率性を高めたり。ところがゲノムについて考えてみると、すべての生きものって三八億年前に誕生した祖先細胞から始まっているんです。鎌田先生の細胞のなかにあるゲノムはご両親から半分ずつ受け継いだもので、ご両親はそれぞれのご両親から半分ずつゲノムを受け継いでいる。それを辿っていくと、必ず生命の起源に行き着きます。

例えば、鎌田先生のゲノムには三〇億年ほど前にバクテリアが手に入れたエネルギー生産のための遺伝子なんかも含まれているわけです。つまり、私たちの細胞には、三八億年という〝時間〟が入っているんです。命の重みについて考えるときに、私はこの時間の重みがとても大きいはずだと思っています。すべての生き物の細胞のなかに三八億年の時間が入っているわけですから、人間の生命だけがとりわけ重いということにはなりませんよね。それぞれの生命が固有の重みを持っているんです」

お二人の対談は、この〝時間を入れる〟という言葉から大きく展開していく。面白いのは内藤さんの応答で、彼女は在宅で患者さんを診る（み）という自身の立場から、医療にも〝時間を入れる〟ことで新しい視点が生まれるのではないかと語り始める。その点について、内藤さんはこんな話をしてくれた。

医療にもゆったりとした時間が必要

「いま、医療の世界にも時間の短縮という大きな流れがあります。入院の期間は以前よりも短くなっているし、在宅ホスピスケアの時間も短くなっているんです。昔だったら余命三カ月ほどで在宅に移っていたのが、いまは一週間とか二、三日とかで亡くなってしまうケースが増えています。在宅に切り替えて八時間後に亡くなったというケースもありました。

がん患者に関しては、治療が進化したためにギリギリまで選択肢があるんです。だから、直前まで抗がん剤治療をやっていたりするわけです。そうすると、患者さんは治療に集中するために寸前（すんぜん）まで死を直視（ちょくし）しないんですね。自分の人生に折り合いをつけるという発想にはいたらず、いわば自分自身の最大の悩みである死を直視しないようにしているんです。

それを患者本人が望んでいるのかというと、多くの方々は我慢（がまん）しているように思います。私たちのようにサポートできる人間が近くにいれば、早めに在宅に切り替えるように背中を押してあげられるんですけどね」

僕はつい最近まで諏訪中央病院の緩和ケア病棟で、月に二度ほどの頻度（ひんど）で回診（かいしん）を続けてきた。内藤さんが言うように死と向き合う時間が短縮されてしまうと、患者やその家族と医療者との信頼関係を築くのが難しいだろうと思う。緩和ケアにおいては、患者やその家族と医療者とのあいだに信頼関係が必須だ。

内藤いづみさん

僕らの病院では、理学療法士が入って、歩行訓練をして歩けるようになったら一度家に帰ったり、家族と温泉に出掛けたりして、少しでも患者の生活の質が上がるように努力をしている。残念なことにほかの病院ではそんな時間が短縮されてしまって、死と向き合う余裕さえない緩和ケア病棟が増えているという。内藤さんは、コロナ禍がそうした流れに拍車をかけたと指摘する。

「病院やグループホームに入っている人の家族は、コロナ禍のなかではお見舞いすらできず、会えたとしても時間が限られてしまっていました。火葬場でも家族がそばにいられず、お骨になってようやく〝対面〟できるという状況さえありました。

良い看取りには時間がかかるんです。医療者としては、本人だけでなく家族と信頼関係を築いたり、家族の歴史に耳を傾けたりと、診療室の机のうえだけで治療はできないんです。場合によっては患者さんのそばで一緒にお茶を飲んだり、認知症の患者の方に『あなた、ずっとそばにいてくれるけど本当にお医者さんなの？』と思われたり。コロナ禍のなかでは、そういう〝のりしろ〟が一気に狭くなってしまいました。時間の短縮が人間らしい看取りを阻害するということを、コロナ禍が浮き彫りにしたとも言えるはずです」

――逝くときの時間は縮めてはならない

では、良い看取りとはどんなものなのか。内藤さんがご自身のお母さまを看取ったときの話がとても心に残った。看取ったのは特別養護老人ホーム。内藤さんが駆け付けたときには、すでに昏睡状態だったという。

「最期を考えたときに、口をきけなくても味覚は残っているんじゃないかと思ったんです。それで、母は最後に何を口にしたいかと考えて、思い当たったのが日本酒だったんです。〝良妻賢母〟を美徳とした時代の人ですので、子どもや夫の前では飲みませんでしたが、実は〝いける口〟だったんです。本当はお父さんよりも強かったんですね。

私はすぐに病院近くのコンビニに飛んでいき、カップ酒を買ってきました。ティッシュでこよりを作って、一滴だけ母の口に入れると、ゴクンと飲むんです。そして口を開くんですね。二滴、三滴と口に入れてあげるとまたゴクンと飲み込む。母はもう何も話せないのですが、最後の時間をそうやって過ごすうちに、話すよりも深く語り合っているような気がしました」

この話には後日談がある。次の日に、母親のもとに内藤さんの弟夫婦がやって来た。口の開いたカップ酒を見て、内藤さんは叱られたという。内藤さんが看病しながら疲れて飲んだと思ったのだろうか。それとも臨終患者に酒を飲ますなんてもってのほかと思ったのだろうか。

「私の考え方をよく知っている弟だったんですけどね。だから、看取りの仕方については徹底的に話し合いました。気心が知れた姉弟同士でも、大切な母を看取る際にはすり合わせが大切なんです。そこにはやはり〝時間を入れる〟ことがとても大切だと思います。

人が誕生する際の妊娠からお産までの、一〇カ月という時間を短縮することはできません。

もしも医療の進歩によってその時間を縮める薬が出てきたら、それはとても怖いことですよ。同様に、人が逝くときの時間も縮めてはならないと思うんです」

「二人称の死」が大切

僕にも内藤さんと同じような経験がある。父親の看取りのときに大好きだったビールを脱脂綿に含ませて数滴飲ませてあげたのだ。父親はいつもキリンビールを飲んでいたのだけど、なんとなく「最後なのだから」と、わざわざ陶器に入ったドイツのビールを用意した。父親は何も言わなかったのだけど、あとになって考えてみると「いつものビールを飲ませてくれよ」と思っていたのかもしれない。真意はわからないけれど、そのときのことを思い出すたびに、いまなお僕は父親と心のなかで対話を続けているような感覚を覚える。

看取りに関しては、中村さんがこんな話をしてくれた。

「ある意味では、人間にとって最も大きな死は家族や友人などの身近な人の死だと思うんです。なぜなら、人間は自分自身の死を〝体験〟できないからです。意識がなくなってしまえば、自分の死と向き合うことはできないわけですから。

だから身近な人の死、すなわち〝二人称の死〟は自分自身にとってもとても大切なことなんです。

ゆえに、医療者がそこに〝時間を入れる〟という感覚を持ってくだされば、それは本当に意味のあることだと思います。医療を受ける側からすれば、それこそが本当の医療の在り方だという考え方が広まってほしいですね」

〝脱炭素〟という言葉の違和感

もうひとつ、対談本のなかからお二人らしい詩的な言語感覚が表れている部分を紹介したい。それは、最近流行(はや)りの「脱炭素」という言葉に関する中村さんの考察だ。それについて、こんなふうに語ってくれた。

「〝脱炭素〟というのは、要するにCO2（二酸化炭素）を減らそうという話ですよね。炭素それ自体をなくそうという話ではない。それなのに〝脱炭素〟というのは言葉としておかしいと思っています。そもそも、二酸化炭素って炭素化合物のなかでは特別なものなんです。炭素は私たちの体のなかで糖になったり、タンパク質になったり、さまざまな形で働いているんですけど、二酸化炭素になった場合は反応ができなくなるんです。それをもとに戻せるのは自然界で植物だけ。いわゆる光合成ですよね。炭素というのはそうやって循環しているのに、〝脱炭素〟という言葉はそのダイナミックな営みを捨て去るような印象を持ちます。きっと、生きもの離れをした技術の言葉なんでしょうね」

僕自身もそう言われてみて初めて「脱炭素」という言葉のおかしさに気が付いた。単に言葉が適切でないということだけではなく、その背景には生命観の乏しさがあるような気もしている。そんな現状に対して、中村さんは日常のなかで循環を実感することが大切だと指摘する。

「例えば調理の際に出た生ごみをそのまま燃えるごみとして処分するのではなく、庭の落ち葉だめのなかで分解する。そうすると、想像以上に早く土に還るんです。そんな日常の小さなことを繰り返していると、おのずと生命の循環みたいなことを実感できるのではないでしょうか。なんでもかんでも社会のシステムに任せるのではなくて、生ごみくらいは自分の責任で分解してみる。高層マンションでは難しいかもしれませんが、一人ひとりがそうした小さなことに取り組むことでしか、生命観や死生観は変わっていかないと思いますね」

生と死は一体となっている

お二人に直接うかがってみたかったのは、彼女たち自身の死生観についてだった。特に〝死〟をどう捉えているか。内藤さんは〝死〟のイメージについて、次のように語る。

「母の最期のときに思ったんですけど、〝死〟の瞬間には生命が解体されて砂のような感じでワーッと宇宙の片隅に吸い込まれていくようなイメージなんです。生命の粒子(りゅうし)が波とか雲とかみたいにワーッと。だから、私に〝死〟の瞬間が訪れてもあの世で母親に再会することはない。でも、母親の生命を構成していた粒子には会える。もしかしたら、私の粒子と母親の粒子の見分けがつかなくなるかもしれませんね。そこは生命の源のような場所で、粒子は大きな循環のなかに溶け込んでいく。そんなイメージを持っています」

なんとも内藤さんらしい言葉だと思った。一方の中村さんは、生命誌の観点からこんな話をしてくれた。

「私の頭のなかでは、生と死は対するものではないんですよね。なぜなら、生きることには死が組み込まれているからです。例えば、人の五本の指って、ある細胞が死ぬことによって出来上がるんですよね」

生と死には大きな「壁」が立ちはだかって、まるで分断されているように考えてしまいがちである。分断の壁が高くなればなるほど、向こう側が見えなくなる。この壁に風穴を開けることで、死をそれほど恐れずに生を悠々とまっとうできるようになるのではないか。

お二人には最後に、現下の世界情勢を踏まえて、いままさに考えていることについてうかがった。

「中村先生のお話を聞いて、生命誌の観点から見ればいま私たちがここに誕生していること自体が奇跡なんだと実感できました。だからこそ、すべての生命が天命をまっとうできるような環境をこの世界に築かないといけません。私は痛みを緩和する専門家なので、それが誰であろうと、どこの国の人であろうと、痛みを見るのは本当につらいんです」（内藤さん）

「個の尊重は大切ですが、同じくらい〝私たち生き物のなかの私〟との自覚を持つことが大切だと思います。実は、ヒトゲノムを調べるときに議論が分かれたのは、いったい誰のゲノムを調べればヒトゲノムを調べたことになるのかという問いについてでした。

結論を言えば、誰を調べてもヒトゲノムなんです。典型的な人なんていないとも言えるし、誰しもが典型的とも言える。最終的にはさまざまな国籍の六人を調べることになりました。つまり、ゲノムのレベルでは私たちに大きな差はないわけです。ゆえに個の尊重とともに〝私たち生き物のなかの私〟との自覚が大切になるのです。その自覚があれば、いまのような分断は起きないはずです。ぜひとも、そうした生命観が基本的なものとなってほしいですね。そう願っています」（中村さん）

それぞれの立場から真摯（しんし）に生命と向き合ってきたお二人の言葉には説得力がある。混迷を極める時代だからこそ、一人ひとりが生命についてより深く考えるべきなのだろう。

「生まれてこないほうが良かった」――その内なる声に抗う。

「反出生主義」という言葉をご存じだろうか。簡単に言うと「自分は生まれてこないほうが良かった」「苦しみがあるこの世には子どもを産まないほうが良い」といった考え方のことだ。言葉こそまだ新しいものの、考え方自体はインド哲学やギリシャ哲学の時代から普遍的に存在しているという。

どの時代にも一定程度はそうした考え方の人々は存在する。では、僕たちは反出生主義とどう向き合えば良いだろうか。

話をうかがったのは、哲学者の森岡正博（もりおかまさひろ）さんだ。森岡さんの著書『生まれてこないほうが良かったのか？――生命の哲学へ！』には、反出生主義の歴史的な系譜（けいふ）だけでなく、自身も反出生主義にとらわれながらも、それに抗（あらが）おうとする思索（しさく）の軌跡（きせき）が綴（つづ）られている。

生者と死者をつなげるのか⁉

森岡さんが東日本大震災のあとに刊行された『生者と死者をつなぐ——鎮魂と再生のための哲学』も読んで気になっていた。そこには僕が『コロナ時代を生きるヒント』(小社刊)を執筆する際に考えていたことと共通する部分や、反出生主義にもかかわってくる話があったので、まずはその本について質問してみた。なぜ生者と死者についての本を書いたのか。

震災のあと、森岡さんは津波によって行方不明になった人の家族を取材したテレビ番組を見た。その人は、朝に海岸に立って波の音を聞いたり、風に吹かれたりしていると、行方不明になった家族がすぐ近くにいるように感じるのだと言う。森岡さんは、その言葉に大きなインパクトを受けたそうだ。

「そういう感受性に適切な言葉を与えることができれば、人々はもっといろいろと考えられるようになるし、そのほうが良いと思ったんです。それで、自分が何とかして言葉を与えたいという思いで書いたのが『生者と死者をつなぐ』という本でした」(森岡さん)

さらに話を聞くと、森岡さんが生者と死者の問題に関心を持ったのは、そのときが初めてではなかったという。実は、森岡さんはかつて脳死と臓器移植の倫理問題について研究したことがある。その頃にも同じような場面に遭遇したのだ。

──脳死している子──「この子はまだ生きている」

子どもが脳死状態になったある両親に会ったときのこと。二人は脳死という状態が科学的に何を意味しているのかをちゃんと理解していた。しかしそれでも、「この子はまだ生きている」と考えていた。

「脳死とはいえ、お二人は生きている子どものリアリティをありありと感じていたのでしょう。それは誰びとによっても否定されてはならないものだと強く思いました。

科学が力を持つようになった昨今の学問の世界では、そうしたリアリティに言葉を与えて考えるということが非常にしづらくなっています。私は実態としての魂というものを信じてはいません。だけれども、脳死状態の人はすでに死んでいるのだからその人はどこにもいないといった厳密な科学主義では、抜け落ちるもの

森岡正博さん

があると考えています」

医師である以上、僕はあくまで科学的な見地から物事を考える。だから僕も死後の魂は信じていない。だけど、生と死は分断されているとも思っていない。そんな僕の考え方を、森岡さんは本のなかで「哲学的アニミズム」という言葉で言い表している。「アニミズム」とは、自然界のあらゆる物に霊魂があると信じること。森岡さんは本に「実感としてのアニミズムをベースとしながらも、それに哲学的分析の基盤を与えるのである」と綴っている。

哲学的アニミズムとは？

「他に言いようがないので、暫定的に哲学的アニミズムと言っています。濃淡はあるにせよ、我々は生者だけでなく死者にも囲まれて生きているのです。我々の社会はアニミズムを排斥することで近代化してきた面があります。家の前や田んぼに神様がいると考えるのは呪術の世界観であって、それを新たに科学の視点で捉え直すことこそ啓蒙だと考えて近代的な市民社会を築いてきたわけです。しかし、その際にアニミズムが持つ重要なものまでも捨ててしまった。何も復古主義的な主張がしたいのではなく、科学時代においてもう一度アニミズムの重要な面を見直す必要があると思っているのです。

そのうえで、最近の私は〝アニメイテッド・ペルソナ〟という言葉を使っています。直訳すると〝生きているような仮面〟です。つまり、目の前にいないはずの人がいると感じるのは、人間関係によって活性化された仮面が目の前に現れている状態だと考えているのです。ヨーロッパ的な考え方だと、ペルソナはあくまで仮面であって、その奥にある自我こそが人の本質と捉えます。しかし私は、ペルソナには自我と同じくらいに本質が表れていると考えます。だからこそ、海岸で行方不明の家族の存在を感じたり、脳死した子どもが生きていると感じたりするのだろうと思うのです」

興味深いことに、森岡さんが海外の学会でこの話をすると、欧米の人々は違和感を抱く一方、インドや中国の人々は共感してくれるそうだ。

あの世からこの世への声

東日本大震災以来、僕は岩手県陸前高田市に通い続けている。二〇二三年三月にもボランティアで陸前高田に行って生命の講演をしてきた。僕が行くと必ず一人の看護師が会いにきてくれる。

彼女は震災で夫を亡くした。家も流された。そんななかでも、避難所の体育館で行き場のない障害を持った人たちの看護を続け、預かってくれる介護施設を探し歩いた。

ところが、眠れない日々の中で彼女は交通事故を起こしてしまい、片腕を失った。何もかもを失い、失意の日々が続いた。陸前高田市では大津波の後も、何度も余震が続いた。ある日、大きな余震で町が停電に襲われた。そのとき、動かないはずの電源の切れた夫の携帯電話が、突然光った。

「暗闇で私が怪我でもしないように夫がサインを送っているようでした」

「先生、笑っているけど本当よ。夫が守ってくれるみたい」

彼女はその後、東北の民間信仰であるオガミサマに会いに行った。

「後ろに男の人がついているよ」

そう言われた。夫に違いないと確信し、孤独が薄らいだという。

「交通事故で腕を失った頃は夫が一緒にこっちにおいでと言っているような気がしました。でも大きな事故の中で生かされたのはなぜか。夫が私に『もっと弱い人のために働きなさい』と言っているように思えてきたのです」

生者と死者の間に壁が立ちはだかっているのではないように思えた。壁はあったのかもしれない。その壁を壊したのは、愛しい人がそばにいてくれるという確信だった。

僕は魂の存在を信じていないが、生者と死者が何かの拍子に繋がるときがあると感じる。そして死者から生者に向けてなにか大切な信号が発信されるときがあるような気がする。

自分は死んだらどうなるのだろう

森岡さんは哲学者を志して哲学の道に入ったわけではない。ご本人は、「思えば、物心がついたときからすでに哲学の道を歩んでいた」と振り返る。

「小学校高学年のあるとき、〝自分が死んだらどうなるんだろう〟という大きな謎が突然降ってきたんです。家族の誰かが亡くなったとかではなくて、本当に突然降ってきたのですごく衝撃的でした。私が死んでしまったら世界は消滅してしまうのか。だとしたらそれはとても恐ろしい。世界が消滅せずに私なしで続くようであればそれは耐え難い。そんなふうに悩み始めたんです」

誰にも相談ができなかったために、その頃から大きな謎の答えを求めて文学や哲学書を読むようになった。じきに大人たちに尋ねることができるようになったが、「大人になったらわかるよ」「大人になればそんなこと気にならなくなるよ」と、誰からも答えらしい答えは返ってこなかった。

大学は物理学を専攻した。直感的に、死の問題は物理学で解けると思ったのだ。物理学はとても楽しかったものの、本格的に学べば学ぶほど、これでは死の問題が解けないということがわかり、哲学の道に転向することにした。宗教に接近した時期もあったが、超越(ちょうえつ)的なものを信じる道よりも、自分の頭でとことん考える道を選んだ。

反出生主義に共感と抵抗

大きな謎については、いまだに考え続けているという。反出生主義は、そんな死の問題とともに常に森岡さんのなかにあった。

「主に二つあるんです。一つは、誰しもいずれは死ななければならないのになんで生まれてきたのかという不条理感です。どうせ死んでしまう世界に生まれてくるくらいなら、生まれてこなければ良かったという思いがいまも私のなかに強くあります。

もう一つは、加害的にしか生きてこられなかった自分に対する否定的な思いです。私はこれまでに非常に多くのものを傷つけてきました。そんな存在はこの宇宙にはいないほうが良い。そう思うわけです。

この二つの思いが私のなかに傷のように存在して、だから反出生主義に共感を覚えるのだと思います」

とはいえ、冒頭でも述べたように森岡さんは反出生主義に何とか抗おうとしている。そこに僕は共感したのだ。

「生まれてこないほうが良かったとは言っても、現実としてもう生まれてきてしまっているわけです。その気持ちは簡単には消えませんが、それでも残りの人生を生きていくわけですから、ならば生まれてきて良かったと思えるように生きるにはどうすれば良いかということを、哲学者として自分の課題にしようとあるときから思うようになったんです」

自身の人生を肯定するために

森岡さんの話を聞いて、ある患者さんのことを思い出した。九十二歳の男性の回診をする前のこと。その方は末期の肺がんで喀血（かっけつ）をしたので主治医は止血剤を処方しようとした。すると彼はニコッと笑って「僕は末期の肺がんなんだから、血が少しくらい出ても不思議じゃないよね。だから止血剤はいらないよ」と言ったそうだ。

主治医から事前にその報告を受けていたので、僕はその方の回診の際に「もう覚悟してるってことですか」と尋ねてみた。すると彼はまたニコッと笑って「そのとおり」と言う。僕がさらに「後悔はないんですか」と聞くと、今度はニヤッと笑って「航海は海でするもんだ」と言った。僕らのやり取りを聞いていた病室内の人々は大笑いした。

僕は緩和ケア病棟の回診の際には、なるべくその人のライフ・レビュー（人生の総括）を聞くようにしている。患者さんとのやり取りのなかで感じるのは、大半の人々は自分の人生を肯定したがっているということだ。何もこちらが誘導する必要はない。ただ、話し相手としてライフ・レビューの良き伴走者であればそれで十分なのだ。

森岡さんがまとめてくれた。

「自身の人生の肯定を可能にするためには、それを支える環境が絶対に必要です。物理的な環境もそうですが、やはり人間関係のなかでのコミュニケーションがすごく大きいように思います。鎌田先生が回診されている病棟では、きっとそうした環境が整っているのでしょう」

亡くなった人の魂が帰ってきてもいい

九十二歳の男性の話を聞いて、森岡さんは数年前に亡くなったという母親の話をしてくれた。

母親は無神論者だった。長らく関係が良くない親子だったものの、母親が有料老人ホームに入所したことをきっかけに、森岡さんは定期的に通うようになる。母親は徐々にすらすらと発話ができなくなってきたが、あるときにふと「昨日、お母さんに会えた」とつぶやいた。

「とうとう認知症かと思ったのですが、よくよく話を聞いてみると、母親の母親、つまり私の祖母がこの部屋に来たというのです。それも真顔で。科学的には夢を見たということなんでしょうが、本人は本気で自身の母親があの世から会いに来たと思っている。母親は無神論者なので不思議と言えば不思議なのですが、私はなんとなく母親がそう思っていることを大切にしないといけないと思い、特に否定はせずに『そうなんだね』とだけ言ったんです。もしかしたら、母親は祖母のところに行けると思って、自身の最期を迎えたのかもしれません。

一方で、母親の話を否定しなかったというのは、私としては自己矛盾なわけです。魂を信じないという自分の信念と違う対応をしているわけですから。だけれども、この点については厳密な論理や整合性を追い求めなくても良いのかなとも思っています。私は亡くなった人の魂が帰ってくることはないと考えていますが、それもあり得ると信じている人のことは尊重したい。いまのところはそう考えています」

苦しみにも意味がある

『生まれてこないほうが良かったのか？』には、社会に存在する幸福の最大化と社会に存在する苦しみの最小化のどちらを目指すべきかといった哲学者たちの議論が紹介されている。哲学という学問領域においてはとても重要な議論なのだろうけれど、僕自身はその両方のバランスを取ることが大切だと思う。

「幸福の最大化を突き詰めれば少数者は社会から捨てられてしまいますし、苦しみの最小化を突き詰めれば大きな核爆弾によって一瞬にして人類を滅亡させればいいといった極論が出てきます。どちらか一方に振れると、どうしても人間は間違ってしまうのです。私も鎌田先生と同じように両者の中間に答えがあると思っています。

ただ、社会政策としては、一部の集団や階層に押し付けられている苦しみから順番に減らしていくことが大切だと考えます。しかし、これも突き詰めてしまうと先の核爆弾のような考え方になる。そこで大切なのは〝苦しみにも意味がある〟といった考え方です。苦しみをうまく潜(くぐ)り抜けられれば、人は生まれ変わることができる。あるいは苦しみをバネにして生き直していく力を人類は持っている。そうした考え方を指し示していくことが大切だと思います。

とはいえ、本当に苦しいときには、なかなかそうは思えないものです。だからこそ、支え合いが必要になるのです。哲学や文学、芸術も大いに支えになるはずです」

反―反出生主義の魅力

『生まれてこないほうが良かったのか？』には「反―反出生主義」という言葉が何度も出てくる。反出生主義を反転させて誕生を肯定するという意味だ。僕は、その鍵は〝死〟を意識することにあると考える。それには森岡さんも同意してくれた。

「どんな人もいずれは死ぬということをいかに肯定的に受容しつつ生の終わりを迎えるのか。それを視野に入れて、反出生主義を転換させてみたいと私は思っています。生の終わり方にはきっと多様性があるはずです。眠るように死にたいと考える人もいれば、最後まで抵抗してもがきながら死にたいと考える人もいる。それらの一つ一つが貴重な死に対する向かい方なのでしょう。私自身はまだ、どんなふうに死に向かっていくのか考えをまとめ切れていませんが」

哲学は難しい。そう感じる人が多いかもしれない。森岡さんは、哲学者である以上は難解で抽象的(ちゅうしょう)な問題を論理のゲームとして解くことも必要だと考えているものの、それが哲学のすべてではないとも言う。

「哲学には、実人生のなかでしか答えを得られないものがきっとあるはずなんです。例えば、数学の世界で証明された定理というのは、客観的で普遍的ですが、哲学の世界になると、もちろん思索によって証明できる部分もあるものの、残りの部分は自分自身が生きて死ぬことを遂行することで、初めてピリオドが打てるものだと思うんです」

大切なのは「哲学を学ぶ」のではなく「哲学をする」こと

『生者と死者をつなぐ』のなかで、森岡さんは「哲学はゼロからの出発」と述べている。僕はこの言葉に思い当たる節がある。諏訪中央病院には看護専門学校があり、そこの教務主任からこんな話を聞いたことがあるのだ。僕の授業で「命とは何か」「死とは何か」といった哲学的なテーマを扱い始めてから、学生らの看護師国家試験のあとの燃え尽き症候群（バーンアウト症候群）が少なくなったというのだ。難しい言葉を厳密に学んでいなくとも、昔の哲学者の難解な本を読んでいなくとも、自分なりに「命とは何か」「死とは何か」といったことを考えてみる。そうした習慣から、「哲学をする」を始めてみるのも良いのではないだろうか。そんな僕の考えを伝えると、森岡さんはこんな話をしてくれた。

「私はいまでも哲学的な思索をするときには、やっぱり常にゼロから出発します。それこそ、仮に〝命とは何か〟といったことの思索が一〇〇回目だとしても、やはりゼロからの出発になるんです。これが科学だと、一〇〇回目の思索のうえに一〇一回目の思索を積み上げるわけですが、哲学ではその都度、自分が直に見聞きしたことや体験したこと、感じたことなどをスタート地点としてゼロから始めることが大切だと私は考えています。

哲学者である以上は難しい本も書きますし、『生まれてこないほうが良かったのか？』は私の本のなかでは難しいほうの本だと思いますが、私としては素朴な疑問から始める哲学に軸足を置いていたいと思っています。そして、多くの方の力になる哲学というのは、常にゼロに戻るところから始める哲学のはずです。

哲学と言っても、奇を衒う必要はありませんし、オリジナルの考え方を打ち立てる必要もありません。昔の哲学者らがどんなことを言っているかを知る必要もない。大事なのはその人が腰を落ち着けて自分の内面を振り返ったときに現れてくる感受性や、経験してきたことの積み重ね、あるいは素朴な疑問です。それらを手掛かりに、自分はどう考えたいのだろうと思索し、そのうえでどう生きたいんだろうと自分に向かって問う。もしもまわりにそうしたことを話せる人がいるのであれば、話してみる。私はそれこそが真の哲学のスタート地点だと思っています。そうした哲学は、鎌田先生がおっしゃるようにいろいろな現場でも大いに活用できるはずです」

反出生主義をいかに反転するか。頭ごなしに否定し、排斥しようとしたところで、それでは反転にはつながらない。常にゼロから哲学的な思索をして「生まれてこないほうが良かった」という内なる声に抗う。その積み重ねこそが、人生の肯定につながるのではないだろうか。

第3章

「いろんな生き方」を実践する「壁壊し名人」

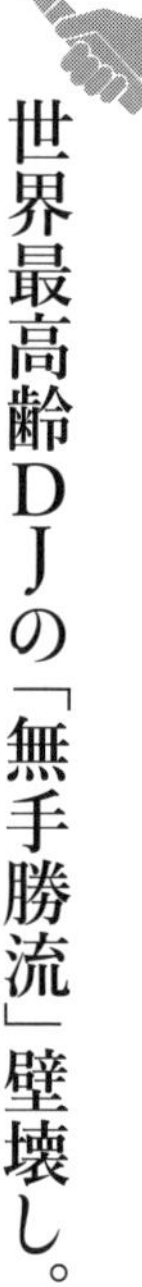

世界最高齢ＤＪの「無手勝流」壁壊し。

コロナ禍の影響で、思うようにクラブのＤＪブースに立てなくなった八十八歳の女性がいる。岩室純子（いわむろすみこ）さん――。「ＤＪ ＳＵＭＩＲＯＣＫ」の名で活動するギネス認定の世界最高齢クラブＤＪだ。コロナ以前は東京・歌舞伎町のクラブを中心に、フランスやニュージーランド、アメリカにも招かれ、若者たちが集まるフロアを沸かせてきた。

僕が彼女に初めてお会いしたのは二〇一六年。ある大人用おむつのＣＭに出演したときだ。ＣＭは彼女がプレイする曲に合わせて、いずれも六十歳以上のサックス奏者やギタリスト、シンガー、ダンサーがセッションをするというもの。僕と女優の戸田恵子さんがメインキャストを務めた。

キャストは誰を取り上げても個性的なシニアたちなのだけど、なかでも印象に残ったのが当時八十歳のＳＵＭＩＲＯＣＫだった。真っ赤な縁のサングラスに、淡いパープルのニット帽。

ダボッとしたシルバーのパーカーと、ゴールドのいかついネックレスという〝ストリート系〟のファッションで、DJプレイをする高齢女性だ。印象に残らないわけがない。

再会を果たしたのはコロナ禍のなかにあった二〇二〇年七月。六十歳からの輝く人生を応援する団体が主催している「プラチナエイジスト賞」の授賞式だった。毎年行われている授賞式は、その年で六回目。ベスト・プラチナエイジストにピンク・レディーの二人と米米CLUBの石井竜也さん、特別賞にプロゴルファーの青木功さんという錚々（そうそう）たるメンバーが選ばれた。その授賞式で、僕は「社会貢献部門」、SUMIROCKは「一般部門」でそれぞれプラチナエイジストに選ばれたのだ。

――名店餃子荘ムロのオバサン

真っ黒なワンピースに同色のスパンコールのブルゾンを羽織り、足元はカラフルなソックスとスニーカー、目元はやはりド派手なサングラスという装い（よそおい）。加えて、その日はなんと余興などで使われる金髪アフロのかつらまで被っていた。「一般部門」でありながら、もしかすると一番目立っていたかもしれない。久々の再会に嬉しくなって、式のあとには思わずツーショットの写真を撮ってもらった。

会えば挨拶をするし、これまでいくつかのメディアでも彼女のことを紹介してきた。しかし、ゆっくりとお話を聞く機会はなかった。八十八歳のクラブDJの話が面白くないわけがない。そう思って、今回は彼女の〝生涯現役〟の人生に迫ってみることにした。

今回の彼女はサングラスもかつらも身につけていない〝素顔〟の岩室純子さんだった。

「『潮』は存じ上げているんですけど、難しいイメージがあって、あまり読んだことがなくて……。私、エンターテインメントばっかりなもんですから。今日はお手柔らかにお願いします。本当に大した人生じゃないので。たまたま、皆さんが注目してくださっただけなんです」(SUMIROCK)

一九三五年、東京生まれ。ジャズドラマーだった父・楽之さんの影響で、子どもの頃はジャズを聴いて育った。ところが、戦争が始まると「敵性音楽」としてジャズは演奏できなくなる。楽之さんは松竹歌劇団のバンドに入り、戦地で行われた将兵慰問興行にも従事した。

戦後は米軍基地にバンドや芸人を手配する芸能プロダクションの仕事をしていたが、日本の主権が回復し、駐留軍がいなくなると、東京・高田馬場で餃子屋を営むようになった。いまも同じ場所で続く老舗「餃子荘ムロ」だ。

「前々から飲食店をやりたいと思っていたみたいです。父は根っからの遊び人でしたので、子どもの私も自由奔放（ほんぽう）にさせてもらいました。ただ、自分が苦労したからか、子どもには音楽だけはさせたくないと思っていたようです」

外交官にはなれなくても外交戦は担ってきた

高校を卒業したら家の手伝いをして花嫁修業を積んで、早く結婚するのが一番。両親からはそう言われて育った。しかし、十代の純子さんには夢があった。

「結婚をして家庭に入るなんて絶対に嫌だと思っていました。むしろ外に出ていきたかった。外国人とも英語でコミュニケーションを取って、バリバリ働きたかったんです」

その夢を叶えるために英会話とタイピングを学び、高校卒業後には知人の伝手（つて）で商社に就職した。

ただ、楽之さんが餃子屋を始めたのは、純子さんが商社で働き始めた頃だった。しばらくのあいだは、昼は会社で働き、夜は家業を手伝う日々が続いたが、最終的には父を支えるために餃子屋に専念することにした。

「私には弟が二人いるんですけど、父は弟たちよりも私に期待をかけていたように思います。いつも『純子は将来、外交官か医者になるんだ』って。自分は餃子屋なのにね（笑）。でも、家業を手伝うようになってからは、店の〝外交戦〟は全部私が担ってましたよ」

餃子屋を手伝い始めたのは十九歳のとき。二〇二〇年に弟家族が継ぐまでの六六年間、店に立ち続けた。いまや多くの人々が足しげく通う人気店だが、純子さんは「有名なのは古いからですよ」と謙遜する。

結婚をしたのは四十代後半だった。相手は二十代の頃から付き合っていた二十五歳上の人。互いに結婚制度には関心がなかったのだが、便宜的に婚姻関係を結ぶことにした。

「一人が楽だったから結婚はしたくなかったんだけど、いろいろあってすることになって。まあ、主人は二十五歳も上だったから、どうせ私より早く逝くだろうと（笑）」

結婚してもとんがった自分が存在し続けている。これがいい。壁壊し名人の生き方の極意なのだろう。

夫が亡くなったのは、純子さんが六十歳のとき。そこからは、一人の生活を満喫することになる。六十歳で自動車学校に通って免許を取得し、英語ができたので海外旅行にも出かけるようになった。

溢（あふ）れる好奇心が壁を溶かす

「一人旅行は楽ですよ。夫婦で旅行すると喧嘩（けんか）になるんですよね。一人だと、好きなだけ行きたいところに行けるんです。一人で行けば、旅行先で現地の人と話す機会も増えますし、新しい出会いはいつだって楽しいですから」

免許や旅行だけじゃない。武蔵野美術大学の通信科で油絵を習ったこともあり、七十歳からはチェロを習い始めた。あるとき、食事をした店のすぐ近くに楽器店があり、その店先にチェロの無料レッスンのチラシが貼り出されてあった。フラッと楽器店に入り、試しに弾かせてもらうとすぐに音が出た。ならばやってみようということで、チェロのレッスンに通うようになったのだ。

興味があることはひとまずやってみる。その性格が、「ＤＪ ＳＵＭＩＲＯＣＫ」を生み出したのだ。クラブＤＪとしてデビューしたのは、いまから一〇年前の七十七歳のとき。きっかけは、ワーキングホリデーで日本にやってきたフランス人の男性を、自宅に下宿させたことだった。

「彼がクラブイベントのオーガナイズ（企画）をやっていて、はじめはうちの店を使ってイベントを始めたんです。だけど、わずか一〇坪の小さい店ですから、お客さんが入れなくて、今度は原宿や渋谷でイベントをやるようになったんです。ちょうど店が終わってから行ける時間帯なので、そこからクラブに遊びに行くようになりました。通っているうちに、ジャズやクラシック以外の曲も楽しいなと思うようになってね。やっぱり知らないことを知るのって楽しいんです。

そしたらあるときに、そのフランス人が『純子もDJやってみない？』って聞いてきたんです。楽しそうだったので、そこから少し練習してデビューすることにしました。ただ、デビューとは言っても、私がやるとなんだか猿の皿回しみたいで……。これじゃダメだということで、DJの学校に通うことにしました」

このときから、月に数回、歌舞伎町のクラブでターンテーブルを回すようになった。そして二〇一八年、八十三歳のときに「最高齢のプロフェッショナル・クラブDJ」としてギネスに認定されたのだ。

「私は年齢で認められるよりは、プレイで認められるようになりたいんですけどね。そのためには、まだまだうまくならないとダメだなと思っています」

この人の好奇心はとんでもなく巨大だ。やりたいことは何でもやる。「女のくせに」とか「八十八歳のおばあさんなのに」なんて声があっても全く気にしない。とにかくやりたいことをやるのだ。できた壁を壊すスタイルではなく、壁ができかかってもすべて溶かしてしまう。だから彼女の周りには壁なんてないのだ。この生き方は勉強になる。

若者が知らない曲を自分勝手に選曲する

トレードマークはサングラス。基本はダンサブルなテクノ系の曲をかけるが、ジャズやクラシック、シャンソンなどの別ジャンルの曲を織り交ぜることもある。そして何より、彼女のプレイは決まって「鉄腕アトム」のオープニング曲から始まる。

「『鉄腕アトム』の曲をかけるのは、高田馬場に長年お世話になっているからです。高田馬場には手塚プロがありますし、ＪＲの駅の発車音もアトムの曲ですから。

ジャズやクラシックをかけるのは、お客さんに『なんだ？　あの曲』って思ってほしいんです。もちろん、テクノ系の曲が好きで来られている方々なので、なかには『ババアが何やってるんだ』って思う人がいるかもしれないけど、自分の知らない世界に興味を持ってくれる人がいたらいいなと思って、あえて別のジャンルの曲を自分勝手に選んでるんです」

じつはこれがすごい人気だという。はじめは「なんだ、このおばさんは」と会場が戸惑っているうちに、どんどんノリノリになるらしい。空気に染まらないところがこの人の魅力だ。周りに壁なんかつくらせない。生き方がかっこいい。

いつ死んでもいい

餃子屋はすでに弟家族に譲ったと書いたが、理由は二〇二〇年一月に患った脳溢血（のういっけつ）だった。
「幸いにも手足や発話に後遺症はないんですけど、脳がイカレちゃったんじゃないかなって思うんですよね（笑）。以前とは違って、人や植物の名前がさっぱり出てこないときがあるんです。友達にアルツハイマーの検査を受けてこいって言われたから病院に行くと、先生からは『大丈夫です』って言われたんですけど。手も足も動くので、DJを引退しようとは思ってはいませんよ」

とはいえ、病魔の次にやってきたのがコロナ禍だった。国内で感染が拡大する前にはイタリアからオファーがあったのだが、ちょうどイタリアで爆発的に感染者が増えた時期と重なってしまい、イベントは中止となってしまった。また、いくら元気だとは言っても、高齢者であることに変わりはない。周囲から「あまり出歩かないでほしい」との声もあって、コロナ禍が始まってからの二年余で、DJブースにはわずか数回しか立てなかった。

DJ プレイ中の SUMIROCK

「七十歳のときに始めたチェロは、クラブDJの活動が忙しくなってからは一時中断してたんです。せっかくの機会なので、この際に再開しようと思ったんですけど、感染対策もあって私のところに先生が来られないんですよね」

好きなことを自由気ままにやってきた人だ。まだまだやりたいことはたくさんあるだろうと思って、僕が「早くコロナ禍が終わってほしいね」と言うと、彼女からは意外な言葉が返ってきた。

「そうですね。でも、私はもう、いつ死んだって構わないんですけどね(笑)」

ただ、その言葉に悲壮感はいっさいなかった。肩に力が入っているわけでもない。半世紀以上にわたって一生懸命に餃子屋で働き続けてきた。好きなことにも一生懸命に打ち込んできた。「いつ死んでもいい」という言葉には、そのくらい自分の人生に満足しているという思いが詰まっているのだ。とても素敵だと思った。

そんなSUMIROCKに「老い」とどのように向き合ってきたのかについて聞いてみた。

「ごく普通に向き合ってきましたよ。一つ挙げるなら、食べる量が減ったことに老いを感じますかね。脳溢血で入院してから、食べる量が半分以下になってしまったんです。もともと食べることが何よりの楽しみだったんですけどね。

ただ、食べる量は減ったのに痩せないの。お医者さんにも言われるんですけど、もう私はこの体形でいいかなと思ってます。健康的な体重というのがあるのはわかっていますけど、人にはそれぞれの体つきというのがあるじゃないですか。私の両親は痩せ形でしたが、私は子どもの頃からずっとぽっちゃりしてたんです。だから、もうこのままでいいやって思ってるんです。

あと、健康のために何かやろうと思っても、私、小さい頃から運動がまったくダメだったんです。とにかく不器用なんです。運動どころか、お手玉とか、毬つきとか、縄跳びとか、ゴム跳びなんかもまったくダメ。子どもの頃は本を読んだり、お人形をつくったりしてたので、みんなと遊べないんですよね。

だから、多少の老いは感じますけども、健康のために特別何かやっているってわけでもないです。そもそも私、昔から年齢のことはまったく考えたことがなかったし、過去のことは全部忘れてしまうんですよね」

壁壊しの極意は無手勝流

「無手勝流」という言葉がある。「戦わないで相手に勝つ方法」や、「自己流のやり方」などを指す言葉だ。ＳＵＭＩＲＯＣＫの話を聞いていると、その「無手勝流」という言葉が僕の頭に浮かんだ。

良い人生を送ろうと思えば、不健康よりは健康であったほうがいい。健康に気を付けるに越したことはない。しかし、人の意識というのは不思議なもので、ときどき強迫観念のようなものにとらわれてしまう人がいる。健康でなければならない。健康でない自分は許せない――と。

アンチエイジングだって同じことが言える。気を張りすぎるとかえって疲れるし、そうなると運動にしても、健康に気遣った食事にしても、長く続かない。長年にわたって健康づくりの運動をしてきた僕は、そのことが痛いほどわかる。大切なのは、何のために健康でいたいのか。何のために若々しくいたいのか。その本質を間違えないことではないだろうか。健康を目指すために、若々しさを保つために、自分の幸せを犠牲にするようでは元も子もない。

ＳＵＭＩＲＯＣＫの生き方は、そんな強迫観念とは無縁だ。チェロを習ったときがそうだったように、やりたいと思えばやるし、忙しくなってきたら中断する。そもそも年齢なんて気にしない。健康に気を付けていないわけではないが、ぽっちゃりとした自分の体形を受け入れる。彼女の話には「○○すべき」という言い方が一度も出てこなかった。僕はそんな彼女に、本当の意味での心身ともの健やかさを感じた。

選べるならＤＪブースで

「いつ死んだって構わない」というＳＵＭＩＲＯＣＫだが、あえて今後の夢について聞いてみた。すると、いくつかの夢を教えてくれた。

「コロナ禍が明ければ、また海外旅行に行きたいです。特にイタリアに行って、叶わなかったイベントへの参加を果たしたい。

あとは、少し前までは厨房（ちゅうぼう）で死ぬか、ＤＪブースで死ぬかのどちらかだなって言ってたんです。ただ、もうお店はやめてしまったので、死に場を選べるならＤＪブースですかね。イベントのオーガナイザーに迷惑をかけちゃうから、次のＤＪに待機してもらっておいて、うまく引き継いで、私はターンテーブルの下にこっそり隠れて逝っちゃう。そんな感じがいいかな

（笑）」

僕もＳＵＭＩＲＯＣＫと同じような夢を持っている。許されるのなら、大好きなスキーをやっている最中か、ジャズの演奏会で音楽を聴いている最中か、あるいはイラクの難民キャンプで診察をしている最中かに逝ってしまいたい。

僕はかねてピンピンコロリの「ＰＰＫ」ではなく、ピンピンヒラリの「ＰＰＨ」を提唱してきた。〝生〟を存分に楽しみながら〝死〟をもっと身近に、軽やかに考えてもらいたくて「ピンピンヒラリ」と言っているのだけど、ＳＵＭＩＲＯＣＫの類まれなバランス感覚は、まさに「ＰＰＨ」のシンボルになれる気がしている。

最後にＳＵＭＩＲＯＣＫは、いま世界を揺るがしている大きな問題に触れたうえで、もう一つの夢を語ってくれた。

「私は一九三五年生まれなので、先の大戦が始まったときは小学一年生でした。戦争の大変さはもちろん、戦後の大変さも知っている私からすると、ロシアによるウクライナ侵攻はもう本当に悲しい。戦争をしたところで、何の解決にもなりませんから。本当に許せないです。ロシアの人々は音楽的にものすごく優れているのに、戦争になってしまえば音楽どころじゃなくなる。早く戦争をやめてほしいです。それがいま、私が一番願っていることです」

やはり、体験者の言葉には重みがある。両国の若い人々が一日も早く音楽を楽しめることを、僕も切に願っている。

高齢社会の誤解の壁
――「一人暮らしのほうが老後は幸せ」って本当？

「独居高齢者」という言葉を聞くだけで、ネガティブな印象を抱く人が少なくない。字義的には〝一人暮らしのお年寄り〟を意味するだけの言葉だが、どうやらすぐに〝孤立〟や〝孤独死〟といったイメージを連想してしまうようだ。言葉が勝手に壁をつくる。それにはおそらく、メディアによる独居高齢者についての一面的な報道も関係しているはずだ。とくに独居高齢者はアパートをなかなか貸してもらえないという。勝手な思い込みで高齢者がますます生きづらくなっていく。

確かに、独居高齢者が孤立や孤独死に陥るリスクは、若い人のそれよりも大きいだろう。しかし、何もすべての人がそうなるわけではない。むしろ、日本においては、介護制度にきちんとつながりさえすれば、よほどのことがない限り孤立や孤独死は起きない。

僕が問題だと考えるのは、これから高齢期を迎える人や、現時点では配偶者などの同居人がいる高齢者が、独居高齢者に対するネガティブな印象によって、漠然（ばくぜん）とした将来不安を抱いてしまうことだ。そこで今回は、独居高齢者のポジティブな側面にあえて光を当ててみようと思う。

一人ぐらしの高齢者の生活満足度が高かった

話をうかがったのは、大阪府門真市にある耳鼻咽喉科医院の辻川覚志（つじかわさとし）医師。どうして耳鼻咽喉科の先生なのかというと、辻川さんは二〇一三年から同市医師会の電話相談や自身の医院での診察を通じて聞き取りを実施。これまでに六十歳以上の約一〇〇〇名から、生活満足度などについて話を聞いてきた人なのだ。聞き取りから得られた知見は『老後はひとり暮らしが幸せ』や『ふたり老後もこれで幸せ』などの著書にまとめられている。

辻川さんの丹念な調査のなかで、とりわけ注目すべきは六十歳以上の独居者の生活満足度だ。一〇〇点満点で平均七三・五点と、同居者の六八・三点を大きく上回っているのだ。僕としてもこれは意外だった。高齢の独居者は「寂しいだろう」「つらいだろう」という勝手な誤解の壁があることがはっきりした。僕たちは思い違いをしてきたのだ。

では、辻川さんはそもそもどうして、聞き取りを行うことにしたのだろうか。率直に聞いてみると、さすがは大阪の先生だった。辻川さんは僕の質問に対して最初から最後まで〝本音〟を語ってくれた。

「なんでこんなことをしたのかというと、私はいま妻と二人暮らしなんです。二人の息子はすでに独立しているので、将来的には私か妻のどちらかが残されるわけです。もし自分が残されるとしたら、なんとか最後まで自宅に留まりたいと思ったんですね。それを実現するためには、人生の先輩方にそのノウハウを教えてもらわないといけない。だから、皆さんに『こういう時はどうしたらいいんですか』『なぜ満足していると感じてるんですか』って、片っ端から各個撃破(かっこげきは)で丹念に聞いていったんです」

独居者の七〇パーセントは寂しさを感じていない

辻川さんによると、不安感はお年寄りだけに多いわけではないという。高齢者で不安感を抱いているのは全体の四割。その割合は若い世代でも変わらないのだ。他方、寂しさを感じている同居者は約一五パーセント。それに比べれば独居者は約三〇パーセントと割合こそは二倍になっているものの、裏を返せば独居者の約七〇パーセントが寂しさを感じていないことになる。

「最初から一人だったので、寂しさなんて感じたことがないとおっしゃる方が少なくないんです。これには私も驚きました」

ここからがさらに興味深い。同居で「寂しくない」「不安はない」と答えた人は、独居者や高齢者向け施設の入居者と比べて必ずしも生活満足度が高いわけではなかった。その一方で、独居者で「寂しくない」「不安はない」と答えた人は、他と比べてダントツで生活満足度が高かったのだ。さらに言えば、少し体調を崩した場合には、同居者よりも独居者のほうが、満足度

辻川覚志さん

が高いという。
「つまり、同居していれば寂しさや不安感はある程度は解消されるものの、生活満足度の向上につながるかといえば、それはまた別の話だということです。さらに言えば、同居者よりも独居者のほうが悩みごとも少ないことがわかっています」
僕は何も調査をしたわけではないが、長らく在宅医療に携わってきた者として、辻川さんの調査結果に納得している。というのも、傾向として独居者のほうがことあるごとに自己決定をしながら、強く生きている気がするのだ。同居者は、同居人に対して「長生きするのは申し訳

ない」「家族が大変だから、入りたくない施設に入る」と考えがちだ。それが独居者の場合は、医療従事者と福祉従事者の協力さえ得られれば、割と自分の主張を押し通すことができる。

僕が知っているある独居者は、医師の「在宅だと、最期を看取れないかもしれないけど……」という言葉に対して「先生、そんなんいらん、いらん。一人で最期を迎えても、翌朝に来てくれたら大丈夫や」と答えた。一人で生きていると一人で死んでいくことにも納得している。孤独死して一週間も発見が遅れるとマスコミは大騒ぎする。行政も槍玉（やりだま）に挙げられる。

最期のときに誰か寄り添うことに全力投球するよりも、一人暮らしの人たちの生活の質（QOL）を高めるように支援してあげることの方が大事なのではないだろうか。人生の最後が一人かどうかは、あまり問題じゃない。ここにも大きな誤解の壁が立ちはだかっている。

距離を保ち自立すること

ではどうして、同居者よりも独居者のほうが、生活満足度が高いのか。辻川さんは著書のなかで、丁寧な聞き取りに基づいた考察を展開されている。それらは、裏を返せば同居者の満足度を向上させるための〝実践術〟とも言える。キーワードは「自立」と「距離」だ。

「同居していると、どうしても依頼心が出てしまうんです。やろうと思えば自分でできることも、同居人に依頼してしまう。それが、高齢であればあるほど心身の力が衰(おとろ)えてしまいます。したがって、同居者の方々には同居人との距離を適切に保ち、自立するようにと申し上げています」

男女別の調査結果を見ると、圧倒的に男性のほうが自立できていない。家のことは、すべて妻をはじめとした同居人に任せてしまっているのだ。他方、同居者の場合は女性のほうが満足度は低いそうだ。特に夫婦で生活されている方は、心当たりがあるのではないだろうか。

「夫婦の場合、妻の夫に対する本音としては『勤めが終わったんやからもう私に頼(たよ)らんといて』というところでしょうか。いまや男性も長生きする時代になっているので、夫婦で生活をされている男性は覚悟をする必要があるでしょうね」

夫婦について言えることは、それだけではない。調査結果によると、女性の場合は先に夫が亡くなった方のほうが、満足度が高いという。

「ひとことで言えば、夫婦仲がうまくいっていない人は満足度が低いんです。例えば、夫と仲が良くないある女性に満足度を尋ねると『マイナス一〇〇点です』とおっしゃる。私が『すみません。ゼロから一〇〇でお願いします』と言うと、その方は『ほんならゼロですね』と不服そうに答えてくれました。そういう人ほど夫が亡くなると満足度がグンと高くなるんです。

一方、おしどり夫婦（ふうふ）の場合は、どちらかが先に亡くなってしまうと、残されたほうの満足度がガクンと下がってしまいます。なんと言うか、思わず『神様がうまくバランスを取っているんかな……』なんて思ってしまいます」

笑った、笑った。これが現実なのだ。

——一人になっても、できるだけ自宅がいい

とはいえ、辻川さんは何も夫婦関係それ自体を否定しているわけではない。夫婦は人生をともに戦う戦友だと考えているようだ。そのうえで、どれだけ仲が良くても、自分の生き死には個人戦であることを忘れないほうが良いと言っているのだ。辻川さんは「老いとの戦いは個人戦。だけど、夫婦でいる以上は連携プレーが大事だ」と語る。

ここで少し辻川さんに対する質問の角度を変えてみた。辻川さん自身は、もしも自分自身が残された場合に、どんな生き方をしたいのだろうか。いわく、ある程度のリスクを取ってでも、自分がやりたいことを可能な限り自分自身の力でやりたいそうだ。それを実現するための覚悟はできているという。

「施設に入れば、施設の側にも責任がありますから、むせやすくなったらお菓子を食べさせ

てもらえなくなります。あるいは、子どもたちと同居すると、足元がふらつくようになれば一人で歩かせてもらえなくなるでしょう。それは仕方のないことです。私が調査で話を聞いた人たちのなかで、最後まで一人で過ごされた方は皆、転んだとしても、一人で最期を迎えても構わないと覚悟していました」

そんな辻川さんでも、一つだけ懸念(けねん)していることがあるという。それは認知症だ。辻川さんのほうから「鎌田先生は認知症患者について、ここまでいくと一人暮らしは無理だと判断される基準を持たれていますか」と聞かれたので、僕はこんなふうに答えた。結論から言えば、本人の自立心が強く、ちゃんと覚悟があり、医療や福祉のサポート体制がしっかりしていれば、ある程度の重症になっても一人暮らしを続けられる。僕はそう考えている。反対に、認知症の初期段階であっても、自立心がなかったり、覚悟ができなかったり、医療・福祉のサポート体制が整っていなかったりすれば、一人暮らしは難しい。

僕自身は、本人が望むのであれば、可能な限り自宅での一人暮らしができるようにしてあげたいと思っている。なぜなら、自宅にいたほうが、圧倒的に認知症が悪化しないという実感があるからだ。僕のこの考え方に辻川さんも賛同してくれた。

僕の友人で、臨床美術という分野で絵を描き、認知症当事者の立場から発信を続けている佐藤雅彦さんから時々電話がかかってくる。時に「寂しい」と訴えることも。一人暮らしなのだ。

今の困りごとは何かと聞くと、時間感覚がないので午前午後がわからない。約束の時間に遅れる。方向感覚がなく、飲み屋のトイレに立つと元の席に戻れない。

でも、飲み屋に行けるということがすごい、というと、「なるほど」と納得してくれる。

買い物に行くと毎回お札で支払うので、財布に小銭がたまる。でも、買い物ができるということがすごい、というと、またまた「なるほど」と返事が返ってくる。

食事をした後の糖尿病のインシュリン注射を打ったことなどを忘れる。でも、自分で工夫をして注射を打ったかどうかの確認をしていること自体がとても偉いことだと褒めると、嬉しそうに笑う。

今感じる喜びは、と聞くと、誰にも制約されず自由に生活できることと答える。認知症、糖尿病以外の病気はなく、その他は健康。自分には無限の可能性がある、と思っているというのだ。五十一歳に確定診断がついて一八年。しっかり強かに一人で生きている。

死の覚悟は簡単ではない

「認知症って、進行していくと死の恐怖が和(やわ)らいだりしますよね。その点、さっきと同様に神様がくださった病気なのかなとも思うんです。『あんたはよく頑張ったから、もう悩みなさんな。怖がりなさんな』って感じで。患者さんに、認知症ってそんな病気なんですよって説明をすることもあります」（辻川さん）

患者としては、医者がそう言ってくれると安心する人が多いのではないだろうか。諏訪中央病院の緩和ケア病棟でも、認知症が死の恐怖だけでなく、病気の苦痛さえも和らげてくれることを目の当たりにする。

例えば、末期がんは一般的には相当に苦痛を感じる病気だ。しかし、認知症があるとまったく苦しんだり、痛がったりする様子を見せないどころか、一日中ニコニコして幸せそうに過ごしているのだ。そういう光景を見るたびに、人間の体は本当にうまくできているなと思う。

基本的な意見は一致する僕と辻川さんだったが、死後についての考え方は異なった。辻川さんは、患者さんに死の覚悟を促す際に、『ソクラテスの弁明』を取り上げて話すことがあるという。

一人で死んだら「自立死」と言おう

「ソクラテスは、死をネガティブなものとして捉えていません。それはこういう論理です。

仮に死後が完全に虚無であるならば、眠りのような状態であるため苦痛や悲哀を感じることはないため希望である。反対に、死後にあの世に行ったり、生まれ変わったりするならば、それはそれで神や偉人たちに会えるかもしれないから希望であると。あってもなくても希望なのであれば、私は死後の世界は存在すると考えたほうが、死のハードルが下がる気がするんです。なので、患者さんに『そういうことなんで、ひとまず死後の世界があることにしておいてください』と話すこともあります」

辻川さんが言うように、そう考えることで余計な苦悩や不安感が和らぐのであれば、それは一つの有効な考え方だろう。ちなみに僕は、死後は終わりになってくれたほうが、気が楽だ。続きは必要ないと思っている。

実は、辻川さんの〝本音〟はここでも聞けた。冒頭でも触れた「独居高齢者」に付随する〝孤立〟や〝孤独死〟といったネガティブなイメージを、辻川さんは著書のなかでの言葉遣いによって、見事に転換されている。というのも、世間一般では〝孤独死〟と呼ばれる独居高齢者の死を〝自立死〟と呼んでいるのだ。そのことに水を向けると、辻川さんは笑いながら「口で言うのは簡単ですけど、なかなか覚悟ができないんですよね。その覚悟が決まったら、それはもはや仙人ですよ」と語ってくれた。

ある程度のリスクを抱えたとしても、なるべく最後まで一人暮らしをする覚悟はできている。しかし、死についてはそう簡単には覚悟が決まらない。矛盾でもなんでもなく、それこそが人の心というものなのだ。辻川さんの〝本音〟に救われる人は少なくない気がする。

厚生労働省の「人口動態調査」によると、二〇一九年には病院・診療所・施設で亡くなった人が全体の八四・五パーセントであるのに対し、自宅で亡くなる人は一三・六パーセント、その他は一・九パーセントとなっている。個人的には、病院や施設でも、自宅でもない「その他」というのが気になっている。僕であれば、コロナ以前は毎年かなりの数をこなしていた全国津々浦々での講演の際に旅先で突然逝ってしまうとか、長らく医療支援を続けてきたイラクの難民キャンプで倒れるとかが「その他」になるのだろうか。

講演の主催者やイラクの現地の人々には迷惑をかけるかもしれないけれど、許してもらえるならば僕としてはそれが本望だ。妻からは「イラクの難民キャンプまで迎えに行くの？　大変だから勘弁してよ」と一笑に付されたのだが……。

一人暮らしを楽しむために

独居高齢者の死がすべて孤独死なのではなく、なかには自立死の人もいる。多くの人がそうした認識を持てば、これから高齢期を迎える人や、現時点では配偶者などの同居人がいる高齢者が、余計な将来不安を抱かなくて済むように思う。

「社会学者の上野千鶴子先生が書かれた『在宅ひとり死のススメ』という本があります。上野先生は言葉をおつくりになるのがとても上手だと思います。私が『自立死』と呼ぶのを、上野先生は『在宅ひとり死』とおっしゃる。言いたいことは同じです。どれだけ夫婦が円満だとしても、大勢の家族に見守られていたとしても、大切な人たちと一緒に逝くことはできません。もともと人は一人で死んでいくもの。その自覚が必要なのだと思います」

僕が過去に往診をしていた患者さんで、自宅の冷蔵庫に一つのメッセージを掲示していた高齢女性がいた。そこには「万が一のことがあっても、救急車を呼ばないでください」と書いてあったのだ。

もちろん、本人に希死念慮（きしねんりょ）があったわけではない。自分は一人で暮らすことに満足していないわけじゃない。すでに覚悟はできている――。冷蔵庫のメッセージは、自宅に来る友達なんかに対する彼女なりの覚悟の表明だったのかもしれない。

辻川さんの著書には、一人暮らしを長く楽しむ秘訣や、生活満足度を上げるための具体的な方法も取り上げられている。例えば『老後はひとり暮らしが幸せ』には、一人暮らしを楽しむ秘訣として次の七つが挙げられている。①生活環境をできるだけ変化させない、②友達を維持する。信頼のおける人を持つ、③毎日何かやることをつくる、④できるだけ自分で何でもする、⑤ひとり暮らしの寂しさを少しでも減らす、⑥緊急時の対応策を決めておく、⑦自分の希望を周囲に伝えておく——。

あるいは『続・老後はひとり暮らしが幸せ』には、生き方上手になれる七つの工夫と題して次の項目が掲げられている。すなわち①体を動かす、②体を楽に保つ、③草花と接する、④耳を使う、⑤目を使う、⑥喉を使う、⑦平静を保つ——の七つだ。

自分の命は自分で決める

「最後まで自分がやりたいことをやるためには、まずはやっぱり筋肉を保たなければなりません。また、食事も大切です。それこそ鎌田先生は冷凍野菜を用いた簡単レシピを発信されていますが、特に高齢男性は先生を見習うべきだと思います。

家のことについては、できる限り家族に頼らないほうが良いでしょう。病院もなるべく一人で受診する。多少、足腰が弱くなってきた程度でも家族としては心配するものですが、まだまだ自分で歩けるにもかかわらず家族に頼り切ってしまうと、衰えるスピードが上がってしまいます。多少の転倒を覚悟できるのであれば、一人で出かけたほうが良いと思います」

やはり覚悟が大事なのだ。辻川さんは最後に、自立死のために必要な具体的なことを教えてくれた。それは、家族がいる場合は延命治療を望むかどうかを事前に伝えておくということだ。

「本人の意思をはっきりと周囲に伝えておくことが大切です。それをしていなかったり、『あんたらに任せるわ』といった曖昧な意思だったりすると、周囲が困るんです。自分の生き死に対して覚悟を決めるという意味でも、それこそ冷蔵庫にメモを貼っていた鎌田先生のかつての患者さんのように、万が一の時の延命治療をどうするかは、意思決定ができるうちに決めておいてください」

自分の命を自分で決める。

その第一歩は万が一のときに延命治療するかどうか。決めて紙に書いておくか、家族に話しておくといい。日本人の弱い自己決定のウォーミングアップになる。もちろん気持ちが変わったらまた紙に書き直したり、家族に言い直せばいいだけの話。自分で決めるという習慣を持つことが大事。一番大事な最後の自己決定をしておくと、何度か訪れる人生の岐路で、自分の人生を自分で決めることができるようになる。自分で決めたことであれば、失敗しても納得ができる。自己決定をしている間に肝（きも）が据（す）わってくる。

そうすると人生の行く手を阻む壁ができても、その壁を突き破ることができるようになるのだ。自己決定は壁を壊す生き方の技術と考えてもいいほど大事なものだ。

独居高齢者は、必ずしも不幸ではない。高齢者の幸福にも、多様な形があるのだ。

佐賀県を日本一の健康長寿のまちに。

この一〇年ほどで、健康寿命への人々の関心は格段に強まってきた。自治体や地域コミュニティーなどによる健康長寿を目指した取り組みも、日本各地で充実してきている。

そんななか、僕は二〇一五年から佐賀県に通い、定期的に市民の方々を対象とした「鎌田實の『がんばらない健康長寿実践塾』」を開催している。この鎌田塾には、これまで四〇年以上にわたって各地で健康づくり運動を実践してきた、僕の知識と経験をすべてつぎ込んでいる。

具体的には、スクワットやかかと落とし、ウォーキングなどの運動、それから一日に三五〇グラムの野菜と毎食一品のタンパク質の摂取(せっしゅ)などを提案している。約一〇〇〇人の塾生は、セミナーを受講し、日々の生活のなかで運動や食事を実践する。そして、実践したことを「書き込み表」に記録する。僕が佐賀にいないあいだも、料理教室や運動教室、健康測定会などが催(もよお)されている。

鎌田塾が始まる

僕が塾生に訴えているのは、持続することの重要性だ。できない日が数日続いたって気にする必要はないし、そのあたりはいい加減で大丈夫。大事なことは途中で投げ出してしまわないことだ。

二〇二〇年は新型コロナウイルス感染症の影響で、なかなか佐賀県に足を運べなかった。それでも、十二月になってなんとか鎌田塾を開催することができた。久々の鎌田塾は、感染防止対策に万全を期して行われた。

鎌田塾を主催してくれているのは、佐賀県で調剤薬局を中心にドラッグストアや漢方薬局、化粧品店の運営、それから介護事業なども行う「株式会社ミズ」(佐賀市)という企業だ。県内外に七五店舗を展開していることから、文字にする場合にはシンプルに「調剤薬局チェーン」と書かれることが多いミズだが、この会社は本気で地元・佐賀の健康づくりを考えている。

例えば、佐賀市の市街地にシニア向け賃貸住宅や温浴施設、健康食堂、美容サロン、図書館などが入る高齢者のための複合型施設を作ったり、それこそ鎌田塾を主催したりしている。そのなかでも特に話題になったのは、ローソンと組んで始めた調剤薬局併設型のコンビニの運営だった。ミズが持つ薬剤師という専門家と、ローソンが持つ全国的な流通網を地域医療に生かす画期的な取り組みとして、大きな注目が集まった。さらにこの施設の駐車場で健診車を呼んで市民の健康診断を行い、健診率の大幅な向上に寄与していたりもする。

ちなみに、先述の図書館の名称には「まちなかライブラリー鎌田文庫」と、僕の名前が付けられている。高齢者施設になぜ図書館があるのかというと、健康寿命の延伸（えんしん）には読書の効果が認められているからだ。ここには、僕がお薦（すす）めする本をはじめ、地域住民の方々から寄贈された本や、絵本などの児童図書も多く収蔵されている。

こうしたミズの取り組みは、地域における健康づくりを考える上で非常に興味深い。そこで今回は、鎌田塾のために佐賀を訪問した際に、同社の代表取締役会長・溝上泰弘（みぞかみやすひろ）さんにお話をうかがってきた。この溝上さんという人物が実に面白い。僕が佐賀県に通うようになったきっかけも、まさに彼との出会いだった。

講演会、運動料理教室、新聞、FM、多様な方法で壁を破る

初めの三年ほどは、一年に一回、健康についての講演会をするために呼ばれた。毎回一五〇〇近くの人が来てくれるようになった。

佐賀は日本でも有数の医療費の高い県で、不健康県の一つと言われていた。溝上さんはこの状況を何とか変えたいと思っていた。三年経ったところで、溝上さんから「講演会を毎年一回やってもなかなか県民の生活習慣を変えることは難しいです。先生、なんとか年に三回ぐらい佐賀に来てもらえませんか。鎌田先生が来られないときは、職員たちが先生の方針に従って運動教室を開いたり、料理教室を開いたりします」と無茶な誘いがあった。

しかし、この頃僕は溝上泰弘という人物に魅力を感じ出していた。

講演会に行くと、前日の晩に、皆で夕食を食べながらサロンが開かれる。地域の医師会長や市・県の保健福祉の責任者たちが集まって、皆が地域を変えたいと熱く語り合う。僕もますます面白くなっていった。あるとき佐賀新聞の幹部もやってきて、今度は年三回の講演だけでは佐賀を変えられないという話になり、毎月僕が連載を書けばいいという話になった。そして、ついに佐賀新聞での連載が始まる。さらには地域FMの番組で、週一回長野の自宅からインターネットを使って、毎週三〇分ほど鎌田式健康法を伝授する「幸せの処方箋（しょほうせん）」というコーナーを始めた。今では佐賀のローカル番組にも関わらず、全国の人が三万人も、インターネットを使って聞いてくれるようになった。溝上さんの強い思いから、二重三重に地域の意識改革を行う体制が整っていったのだ。

父親の仕事は継ぎたくなかった

ここでミズという会社が成立した背景について紹介しておきたい。少し込み入った言い方になるけれど、同社はこれまでに三度〝創業〟されている。

一度目の創業は一九一〇年のこと。溝上さんの祖父・金一さんが、地元の有明町（現・白石町）に溝上薬局を開局した。溝上さんは金一さんについて次のような話をしてくれた。

「幼い頃の祖父は生まれ育った町の開業医の先生に憧れて、将来は医者になることを夢見ていたそうです。ところが、憧れの先生に直接そのことを打ち明けると、薬学の道に進むように勧められます。同じ町に医者が二人もいたら、お互いに食えなくなるぞと（笑）。そのうえで、薬学の重要性を話されたようです。それで、祖父は現在の熊本大学薬学部の前身となる熊本薬学専門学校に、第一期生として入学したんです」

溝上泰弘さん

金一さんは薬剤師の免許を取得後に帰郷し、溝上薬

2020年12月の「がんばらない健康長寿実践塾」

局を創業した。薬局とはいっても、主な仕事の内容は今で言うところの製薬業だった。漢方薬を中心に製造し、「人参強壮圓（にんじんきょうそうえん）」という滋養（じよう）強壮剤は、当時、全国的に評判になったそうだ。

第二の創業は一九四七年のこと。溝上さんの父・勝一さんが佐賀市の中心部に位置する水ケ江（みずがえ）という地域で薬品卸業を始めた。その後、国民皆保険制度がスタートした時期と重なったこともあって、医薬品の需要が高まり、事業は着実に軌道に乗った。金一さんが製薬業を営んでいたとはいえ、卸業に転向して一代目。それでも、県内一の医薬品の卸屋に育て上げた。

そして、第三の創業は一九九二年のこと。溝上さん自身が現在のミズを創業し、わずか六人の社員で調剤薬局をスタートした。代替わりではなく、三代がそれぞれに創業している。だから三度の〝創業〟なのだ。

一方で、三代とも医薬品を扱う仕事をしている点では、ミズには一一〇年余にわたって脈々と受け継がれてきたものがある。その意味では、三代目の溝上さんが調剤薬局を始めたのは自然な流れのように思える。しかし、溝上さんがミズを創業したのは四十八歳の時。では、それ以前の彼は何をしていたのだろうか。

「東京にある医療機器の貿易会社に勤めていました。というのも、子どもの頃に父親が働いている姿を見て、この仕事はしたくないという思いを抱いていたんです。医薬品の卸業ですから製薬メーカーとお得意先との板挟みに合い、価格や取引条件なども自分たちの意思で決められることが少ない職種でしたから。自己決定でき、自己責任が取れる仕事をしたいと思っていたんです」(溝上さん)

自分の道を行く

父親を尊敬していたが、仕事には良い印象を持てなかった高校時代の溝上さんは、東京にある私立大学の経営学部に進んで経営の勉強をするつもりでいた。ところが、父親からは薬学部に進んで薬剤師の資格を取得するように勧められる。経営の勉強はその後でもできると。悩んだが、最終的に「薬学部以外に行くなら、受験費用は出さない」との父親の言葉が決め手となり、東京薬科大学に進むことになった。

「とはいえ、時代は学生運動の頃ですからね。とても勉強なんてできる状況じゃなかった。だから、大学にではなく、雀荘に〝通学〟するような毎日でしたね。結局卒業までには六年かかりました。しかも、フェノールの化学式なんて薬学部の学生にとっては基本中の基本のことも、卒業間際にようやく知ったような感じだったんです」(同)

薬剤師の資格は取得したが、医薬業界には進まなかった。卒業までに時間がかかってしまったために経営学の勉強まではできなかったものの、前述のように東京にある医療機器の貿易商社に就職した。社長が父の友人で、いわば縁故入社。さすがに父・勝一さんも諦めてくれた。

貿易商社では世界に通用する一流ビジネスマンになるために、教養が最も大事と知り、年間一〇〇冊以上の読書を自分に課した。この習慣は、結果的に五〇年続けたというから相当な読書量だ。

四十歳の頃、突然転機が訪れる。勝一さんにがんが見つかり、先が長くないことがわかった。溝上さんはそのことを、東京にやって来た勝一さん本人から告げられた。

「二つのことを言われました。一つは母親の面倒を見ろということ。そしてもう一つは父親の会社を継げということです。ただ、当時の勤め先では、取締役営業部長を任されていました。それに、正直なことを言うと、その頃もやっぱり医薬品の卸業はやりたくなかった。だけど、これも父親の遺言と受け止め、願いを叶える方向で考えるようにしたんです」（同）

歓迎されないところには無理に留まらない

ところが、勝一さんの会社を訪れてみると、役員の人たちからこんなふうに言われた。「泰弘君、あなたこの仕事、昔からやりたくないって言ってたよね？　やりたくなったの？」と。溝上さんは正直に「やりたくなったわけではないんですが……」と答える。すると幹部の人はこう続けた。

「だったら無理しなくてもいいよ。会社は僕らでやっていけるから」

この言葉を受けて、溝上さんは一つの決断をする。

「その時、すでに法律上は私が大株主だったので〝いや、俺がやるよ〟とひとこと言えば、父親の会社を継ぐことは可能でした。だけど、社内の人たちと話していて、それは望まれていないことなんだと感じたんです。なので、それまでの仕事を続けることにしました。

ただ、問題は母親の面倒をどうやって見るかということでした。母親は父親の事業とは別に、佐賀で小さな薬局を営んでいました。それに年齢的にもう東京に出てくることはできない。なので、最終的には、平日は東京で働き、週末だけ地元に帰って母親の薬局を手伝うことにしたんです。月曜日に福岡から朝一番の飛行機で東京へ行き、金曜日の最終便で戻ってくる。そんな生活を約八年間続けました」(溝上さん)

毎週のように東京と福岡を往復すると、それだけで飛行機の搭乗回数は年に一〇〇回を軽く超える。加えて職業柄、アメリカやヨーロッパへの出張も多い。溝上さんは当時のことを「貿易会社に勤めているのか、航空会社に勤めているのかわからないくらいでした」と振り返る。

しかし、年齢とともにそんな生活に難しさを感じるようになる。父親として、三人の息子との時間も作ってやりたい。そんな思いから、四十八歳の時に二五年以上にわたって勤めた会社を退職し、母親の薬局を継ぐことにしたのだ。この薬局を後に改組して、現在のミズが誕生する。

――遅れていた日本の医薬分業に全力投球

溝上さんは、前職のときにアメリカやヨーロッパの薬局事情を目の当たりにした経験から、ミズでは小売り商業薬局ではなく、あくまで地域医療に貢献する医療薬局を作ることにこだわった。一度はチェーン化したドラッグストアのように、食品や飲み物まで何でも売るスタイルを試みるが、どうもスーパーマーケットのようになるのは薬局の仕事ではないと考えたようだ。

「日本でも、今では医薬分業が定着していますが、薬剤師は今以上に臨床に携われると思っています。逆の言い方をすれば、薬物療法において薬剤師はまだまだ医師のパートナーになり得ていない現状があるわけです。欧米からすると日本の薬剤師は臨床薬物療法の面で非常に遅れていました。だからこそ、ミズは地域医療に貢献する世界レベルの薬局にしようと決めたんです」（同）

志が高い経営者は珍しくない。溝上さんがすごいのはそれを実現する力だ。すでに述べたように、社員六人でスタートした溝上薬局は現在、ミズグループとして社員七〇〇人・年商一三〇億円に成長。県内外七五店舗にまで発展し、幅広い事業を通して、ゼロ歳から百歳までの健康長寿のまちづくりを始めている。

そして、ここの社員はものすごく前向きだ。先に紹介した「鎌田文庫」に配属された職員たちも見事に本好きになっている。僕が毎月、「今月のイチオシ」の小説、絵本、写真集、画集などを厳選して選んだ理由を紙に書いて送ると、一番目立つところに本の現物を提示してくれる。溝上さんは職員たちに「本を読む、尊敬する人の話を聞く、現地や現物を見る、という習慣を身につけた集団を作ることが会社を成長させることになる」と言っている。実際に一〇人ほど職員を連れて、二泊三日かけて諏訪中央病院の見学に来たりする。高い志を土台にしながら職員も会社も常に成長するように、彼は刺激を与えているように思う。

溝上さんの経営者としての才覚にもはや疑いの余地はない。では、溝上さんは〝経営〟についてどのように考えているのだろう。

「経営者の使命は会社の哲学・理念を社会にメッセージとして発信することです。会社の目的は、社員の物心両面での幸せと、社会の役に立つこと、この二つに尽きると思います。会社の価値や経営者の品格は、どれだけお金を多く稼いだかではなく、稼いだお金を何のため、誰のために使うかで決まる。利益は社会に還元するもの、利他の心こそミズの源です。私はそうした考え方を近江（おうみ）商人の〝三方よし〟の精神や石田梅岩（いしだばいがん）の思想、それから渋沢栄一の哲学などから学びました」（同）

先に用を足して後で利益をいただく

「越中富山（えっちゅうとやま）の薬売りたちが大切にした考え方があります。それは〝先用後利〟というものです。つまり、先に用を足して、後で利益をいただく。私はこの精神がビジネスの基本だと思っています。まずは人々が望んでいるモノやコトやサービスを提供し喜んでもらう。そのうえで採算を合わせる。その順番が逆ではいけないんです」(同)

溝上さんのこの言葉を聞いて、腑に落ちたことがある。それは二〇年近く前の出来事についてだ。

当時、溝上さんがテナント会の会長を務めていた佐賀市中心部にあるエスプラッツという商業施設が、存続の危機に瀕していた。テナントが埋まらない状態に陥ってしまったのだ。そこで溝上さんは、どうせ集まらないのであれば、地域住民のニーズに寄り添ったテナントを募集しようと、周辺地域の人々にアンケートを実施した。その結果、地域住民の三つの希望を把握することができた。すなわち、婦人科と精神科のクリニック、それから保育園だ。溝上さんは、その地域住民の希望を見事に実現し、エスプラッツを再建したのだ。

この時、婦人科と精神科のドクター探しには前職時代の人脈が生きたが、唯一、溝上さんの専門ではなかったのが保育園だった。とはいえ、現在の溝上さんは、保育園やこども園を運営する社会福祉法人「みずものがたり」の理事長も兼務している。いったいどのようにして保育事業をスタートさせたのか。実はここにも、溝上さんの経営者としての手腕が発揮されていた。

年齢なんて関係ない。大切なのは人間力

目を付けたのは、当時二十五歳の青年だった。保育園のコンサルティングを行う栃木県の会社で働いていた佐賀県出身の若者を、保育事業立ち上げの責任者に抜擢（ばってき）したのだ。

その青年の名は吉村直記（よしむらなおき）さん。現在、「みずものがたり」が運営する保育園やこども園を傘下に置く「おへそグループ」の統括園長を務めている。それにしても、新規事業のリーダーに二十五歳の若者を据えるなんて、誰にでもできることではない。

「年齢なんて関係ありませんよ。七十歳でも六十歳でも二十歳でも、大切なのは人間力です。志があるかどうか。それが一番重要なんです。能力や経験なんて、志さえあれば後からでもついてくるんです」（溝上さん）

実は今回、吉村さんから溝上さんの人柄をよく表すこんなエピソードを聞いた。溝上さんに初めて会った時、吉村さんはまだ前職の社員だった。溝上さんは保育事業の責任者の候補として彼に会ったが、吉村さんの側はてっきりコンサル業務を依頼されるものと思っていた。保育園などの調理師の人件費が話題に上がった時、吉村さんはこれまでの経験からあくまで一つの事例として、地域の弁当屋などと連携することで調理師の人件費を抑えられる、といった内容

の話をした。

「そしたら、溝上理事長が〝とんでもない〟というんです。子どもの食事にかかわる経費を削るなんて論外だと。僕はあくまで一つの事例を話しただけなのに、何となくすべてを否定されたような気がして、すぐにその場を失礼したんです」（吉村さん）

ところが、ことある度に吉村さんの脳裏には溝上さんの言葉が蘇ってきた。あの人はなぜ初対面の僕に対してはっきりと自分の意見をぶつけるほど、子どもに対する情熱を持てるのだろう……。率直に不思議に思った。時間が経てば経つほど、正論を言われたような気もしてきた。

吉村さんの偉いところはここからだ。年末年始に地元に帰省した際に、もう一度話を聞くため、個人的に溝上さんのもとを訪ねたのだ。

「会ってみると、理事長のほうから〝この前はごめんな〟と言ってくれました。結局、その日は三時間くらい二人で話をして、その時に園長を打診されたんです。いつかは独立して保育園の運営をしたいと思っていたものの、今すぐにとは考えていませんでした。だけど、最終的に引き受けることにしたんです」（同）

一度きりにせずに溝上さんのもとを訪ねた吉村さんも偉いし、それを受け入れた溝上さんも偉い。僕は、このコンビは出会うべくして出会ったような気がしている。

理想は薬の売れない薬局

溝上さんが最初の保育園を作ったのは、二〇一一年のこと。現在の「おへそグループ」は、保育園やこども園以外に、企業主導型保育園や放課後学童クラブ、児童発達支援施設も運営するなど、大きく発展を遂げている。保護者だけでなく保育士からの人気も高く、子どもの入園と保育士の採用はいずれも順番待ちだそうだ。

溝上さんはもうすぐ八十歳。まだまだ現役を退くつもりはない。目標は「薬を売って成り立つ企業から、健康の喜びを売って成り立つ企業になること」と語る。

「人が欲しているのは本来薬ではなく、健康です。地域の皆さんに健康になっていただくのが我々の本来の仕事。それで食っていけないならしかたがないという思いがあります」(同)

この人の佇まいはまもなく八十歳を迎える人には見えない。いつも若々しい。キチっとネクタイをしていることが多いが、不良少年のような感じを匂わせている。成功した経営者という雰囲気が全くない。

創業まもない頃、得意先の病院の事業承継者から理不尽な見返りを求められた。考え方や価値観が違う人と一緒に仕事ができないと思い、その得意先の病院に近接した薬局を閉店したそうだ。このときは会社がお先真っ暗になったという。それでも譲れないものは譲らない。この人の品格である。たぶん僕はこの人のこういうところに惚れ込んでいるのだと思う。

二〇二三年初夏には、佐賀に九州最大規模を誇る約八四〇〇席を収容する多目的アリーナがオープンする。なんとこのアリーナの代表取締役社長に就任した。この人ならきっと佐賀を元気にしてくれると地元の期待は大きい。

壁壊しの名人

溝上さんは二〇二一年、ＰＦＳ事業の新会社を創設した。

ＰＦＳ（成果連動型民間委託契約方式）とは、民間のノウハウを活用して行政課題の解決を目指すもので、例えば、病気予防の仕組みづくりなどで、医療や介護の社会保障費を抑制することが一例だ。次々に面白いことがこの人の頭の中には浮かんでくるようだ。

「何のためかと言ったら、それは佐賀県を健康長寿日本一にするためです。健康なまちは、薬が売れない。それでも〝まち一番〟と言われる薬局を作りたいんです」（溝上さん）

二〇二二年夏、国民健康保険中央会が健康寿命を発表した。健康寿命の測定にはいくつかの方法があるが、国民健康保険中央会は要介護２未満の人、つまり要介護１までは、少し障害があっても自分のことは自分で自由にできると考え、要介護2未満の健康な人を対象にした健康寿命を客観的に出している。

そして、驚きの結果が出た。佐賀県の女性が健康寿命日本一になったのだ。長野県と大分県と同率ではあるが、不健康県と言われた県が、ついに健康県の仲間入りを果たしたのである。まだまだ課題はたくさんあるが、少しずつ足並みが揃ってきた。これは当然、県庁や県医師会、佐賀医大などの力が大きいと思うが、健康になるためのいくつもの壁をコツコツと壊し続けた壁壊しの名人・溝上泰弘の存在も見逃せないと思う。

溝上さん率いるミズの取り組みは一つのビジネスモデルともいえるし、日本全体の健康長寿に寄与するはずだ。彼らの挑戦にぜひ注目してもらいたい。

第4章

今までどおりの「壁」を壊し、命を土俵際で守る

患者と仲間たちをコロナから守る。

二〇二〇年七月中旬、東京では感染拡大が再び不気味な広がりを見せ始めている。第二波にどう備えるか。一つのモデルがある。

四月の東京では医療崩壊が懸念されていた。しかし、医療従事者たちの懸命な対応によって、ギリギリのところで危機は回避された。

今回は、東京が直面した未曾有の事態に真正面から向き合い、危機の回避に多大な貢献をした東京医科歯科大学の取り組みに光を当てたい。

東京医科歯科大学は、僕の母校でもある。学長の田中雄二郎（たなかゆうじろう）先生とは、もうずいぶん長い付き合いになる。同大医学科一年生を対象に、僕が一年に一度担当している講義も、きっかけを作ってくださったのは田中先生だった。そんなご縁もあって、学長として多忙を極める日々にもかかわらず、リモートのインタビューを引き受けてくださった。

田中先生が学長に就任されたのは、二〇二〇年の四月一日。まさに新型コロナの対応が、最初に直面した大きな課題だった。先生は「土砂降りのなかのスタートみたいでした」と当時を振り返る。

グローバルな情報を集める

学長就任が決まったのは、二〇一九年十二月のこと。中国で新型コロナの感染拡大が始まってまもなくのことだった。田中先生は新年度の学長就任に向けて、さっそく執行部の選任に着手する。早いうちから、グローバル化担当の理事は、先生の医学部時代の同期生でイギリスのインペリアル・カレッジ・ロンドン医学部に長年勤めている高田正雄(たかたまさお)先生にお願いしようと決めていたそうだ。

他方、新型コロナについては、ダイヤモンド・プリンセス号での集団感染を受けて、二〇二〇年二月中旬の時点で学内に「新型コロナウイルス対策会議」を発足。新しい執行部ともディスカッションを繰り返した。田中先生は次のように語る。

「そのなかで、三月の中旬に高田先生からロンドンで起きている感染拡大の状況を聞きました。

例えば、新型コロナは重症者にどのようなケアができるかで生死が分かれるということ。また、ロンドンでは、医療機関が近隣のホテルを借り上げて、家族への感染を恐れる職員たちが寝泊まりできる環境を整えているということでした」

情報は他のルートからも入ってきた。アメリカのヒューストンやドイツのベルリンで働くかつての教え子たちが、現地の状況をメールで知らせてくれたのだ。

「私のもとに届いたのは、医療従事者が抱える不安や恐怖、ストレスなどの〝生(なま)〟の情報でした。

彼らは『ひょっとしたら、自分も感染するかもしれない』『もしかすると、目の前にいる重症患者みたいになるかもしれない』『最悪の場合は、死んでしまうかもしれない』といった恐怖を抱える一方で、『自分が家族にうつしてしまうかもしれないから、家には帰りたくない』といった不安を抱えながら働いていたのです。

それらの〝生〟の情報を受けて、改めて『これはただ事ではない』と実感しました。

感染拡大はロンドンやヒューストン、ベルリンで起きているのだから、東京で起きてもおかしくはない。だとすれば、東京にある国立大学として、東京での感染拡大に立ち向かうという使命を果たさなければならない。そう考えたんです」

学内の研究室が参画

そうして四月一日に就任した田中学長は、全職員に向けて一つの明確なメッセージを表明する。それは「力を合わせて患者と仲間たちをコロナから守る」というものだった。

「学長就任時に執行部に伝えたのは『新型コロナの対応は医学部附属病院がフロントに立つけれども、すべての部門の応援が必要だ』ということでした。そのうえで、ロンドンなどの先行例を参考にして、一番大事なのは職員が不安なく診療できることだと考えたのです。

そのためには、『大学は職員を守る』という姿勢を示す必要がある。そんな思いを込めて、『患者と仲間たちをコロナから守る』というメッセージを発しました」

田中雄二郎学長

具体的には、防護服を確実に確保し、陽性患者に接触する職員には、常勤・非常勤にかかわらず、全員に定期的にＰＣＲ検査を実施する体制を整えた。

ＰＣＲ検査については、全入院患者への実施も含めると、一日に約二〇〇件の実施が必要だった。しかし、病院内で実施できる一日の検査数は四〇～五〇件。そこで、学内の各研究室が所持する機器を集め、教員のなかから検査を手伝うボランティアを募って、二〇〇件の検査を実施する体制を確立した。

累計二〇〇〇人超のバックヤードチーム

東京医科歯科大学が、一人目の陽性患者を受け入れたのは、二〇二〇年四月二日のこと。その日から、新型コロナとの本格的な戦いがスタートした。

同大附属病院は全七五三床のうち、新型コロナ専用病床をピーク時で九〇床まで増やした。ECMO（体外式膜型人工肺）は一〇台、人工呼吸器は八七台保有している。もちろん、新型コロナ以前に空いている病棟はなかったので、一部の一般病棟を閉鎖して確保したのだ。

「しかも、当院は感染症指定病院ではありませんでしたので、陰圧室の数も少なかったんです。したがって、ICU（集中治療室）は改装せざるを得ませんでした。当然、かなりの費用がかかりました。それでも、比較的早い段階で決断をして良かったと思います」

同大の取り組みのなかで、特に注目すべきだと僕が思うのは、医学部と歯学部が一丸となって新型コロナに立ち向かったということだ。卒業生だから言えるのだが、同大の両学部には、良くも悪くもそれぞれに独自のプライドがあった。

ところが今回は、外来診療の制限や予定手術の中止、一部の病棟閉鎖によって手の空いた医師や歯科医師たちが、自ら志願して「バックヤードチーム」となり、院内の清掃や電話対応、患者搬送作業などに従事したのだ。歯科技工部については、クリアファイルを加工したフェイスシールドを作製したという。

ご存じのとおり、東京医科歯科大学は、二〇二四年度中を目指して、東京工業大学と統合することが発表されている。コロナ禍初期での医学部と歯学部のこの協力体制は、東京工業大学との統合の壁を越えていくのに大きなウォーミングアップになった可能性が強いと僕は見ている。東工大の益一哉（ますかずや）学長は、コロナ感染が拡大するなか、病院を挙げて重症者を受け入れる決断をした田中学長とだったら社会に貢献できる新しい大学を一緒に作れると思ったと、のちに読売新聞で話している。

「これには一つ背景があるんです。実は、以前は医学部附属病院と歯学部附属病院が別々にあったのですが、これらは二〇二一年十月に一体化しました。そのための話し合いを、二〇一九年から進めてきました。そのなかで、両学部に現場レベルでの交流が生まれていたんです。

バックヤードチームについては、医療担当理事で副学長の大川淳（おおかわあつし）先生の功績が大きいと思っています。清掃業者が立ち入れない陽性者の病室の清掃などを、整形外科の教授でもある大川先生の指示を受け、コロナ対応によって手術がなくなった整形外科の方々が担ってくれたのです。それが、段々と他の科にも波及していきました。

歯学部には、病院前に設置したテントで患者の検温をしてくれた方や、患者から大量の飛沫(ひまつ)を浴びる危険性が最も高い鼻腔(びこう)からの検体の採取を引き受けてくれた方もおられました。いずれも、本当にありがたいことでした」

大川淳教授はかつて諏訪中央病院の整形外科部長として脊椎(せきつい)の手術を確立してくれた功労者だ。名医でありながら、人格的にも優れたドクターだった。

二〇二〇年四月十九日から六月十四日までの約二カ月のあいだに、バックヤードチームとして〝後方支援〟に従事した職員の数は、累計で二二二一人にのぼるという。

議論の場と密度の高い情報

新型コロナの対応に舵を切ったことで、職員から批判の声は出なかったのだろうか。率直に尋ねてみた。すると田中先生は「批判はなかったわけではない」としたうえで、こんな話をしてくれた。

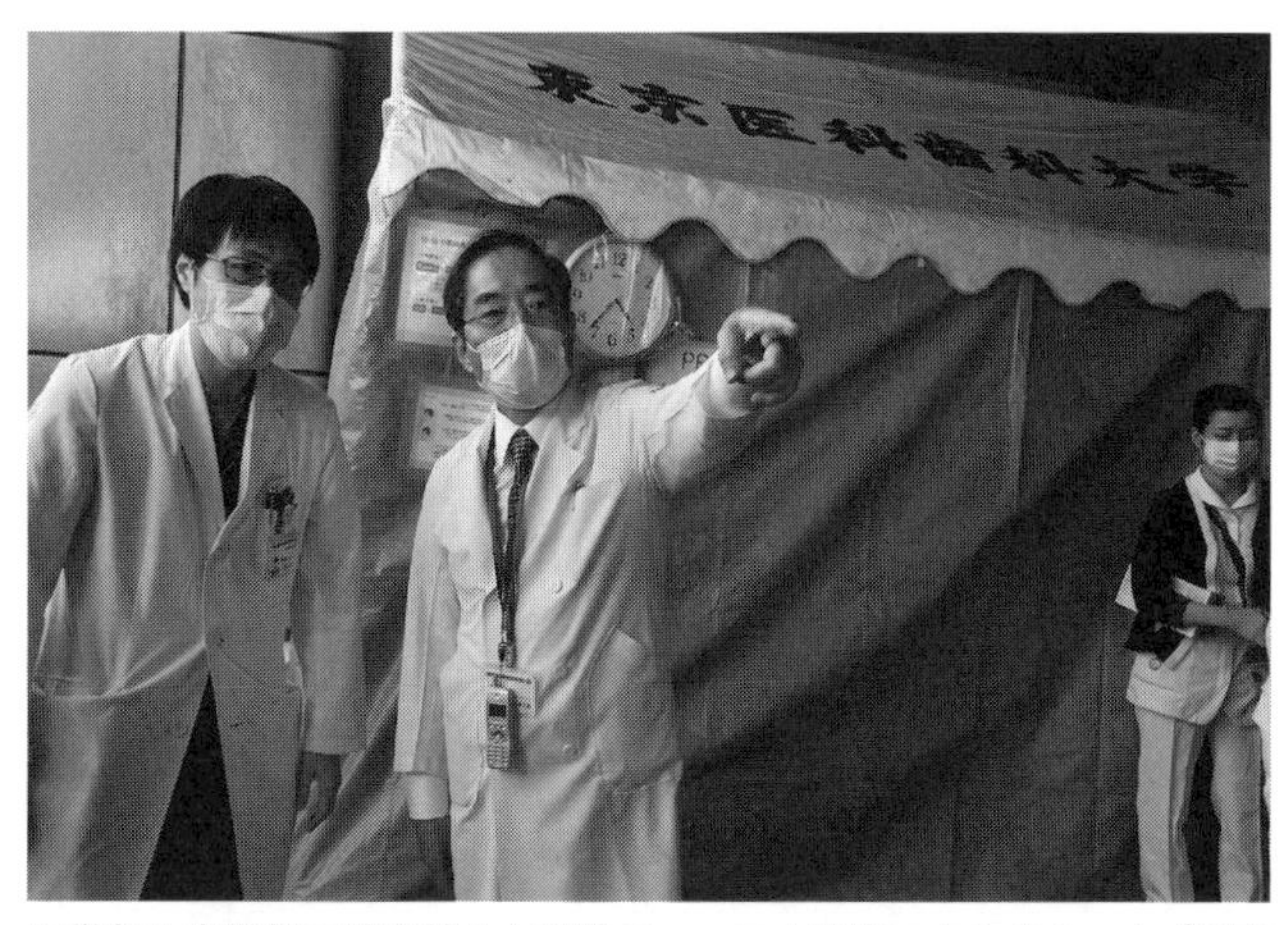

医学部と歯学部の壁を越えた団結で、コロナ診療に立ち向かった（写真提供＝東京医科歯科大学）

「実は、私なりに気を付けたことがあるんです。それは情報共有です。

具体的には二つのことを実施しました。一つは、『TWDUコロナ対策通信』という学内教職員向けメルマガを毎日配信すること。そして、もう一つは附属病院の『新型コロナ対策会議』を毎朝オンラインで行うことです。

オンライン会議については、毎朝八時から一時間程度行い、ここには教授や看護部長だけでなく、技師や臨床工学技士など、さまざまな立場の人たちが一〇〇人ほど参加します。そのなかで、徐々に情報が共有されて、職員のなかに『これほどに大変な状況なのであれば仕方ない……』といった空気が醸成されていったような気がしていています」

加えて、四月中旬に同大附属病院の救急救命センターが、一般患者の受け入れを中止したことも大きかったという。

「災害医療の専門家であるセンター長の大友康裕先生は、早い段階から『一般診療と新型コロナは、両立できない』と言っていました。そして、実際に一般患者の受け入れを中止したのです。そうした専門家の意識が共有され、少しずつ『やはりそうすべきなのだろう』といった認識に変わっていったように思います」

スタッフのメンタルヘルスケア強化

「患者と仲間たちをコロナから守る」という田中先生の言葉に関して、その具体策として、特筆しておくべきことは他にもある。

同大では、四月六日の時点で職員のメンタルヘルス対策を開始。実際にカウンセリングが始まったのは四月十二日で、六月三十日までに一三一五回ものカウンセリングを実施している。最初の陽性者を受け入れたのが四月二日ということを踏まえると、メンタルの不調を訴える職員が出てきたから実施したというよりは、事前にその重要性を理解していたのだろう。どうしてメンタルヘルスケアを始めたのか。田中先生は次のように答えてくれた。

「これは私が出したアイデアではなく、精神科の教授たちが自ら提案してくれたんです。精神科病棟でも、新型コロナの受け入れをするために、院内感染の観点から軽症の入院患者に退院をしていただくことにしました。すると、精神科の職員のなかにも手が空く人が出てくる。そこで、彼らは自分たちで職員向けのスクリーニングシートを作成し、メンタルヘルスケアを担当してくれたのです」

――自律と協調の組織に変えたい

学長に就任した際、田中先生は職員に対してあることを語った。それは「自律と協調の組織に変えたい」という内容だった。さまざまな部署が自分で考えて動きながら、ベクトルは一つの方向に向いている組織を目指そう、と言ったのだ。

「リハビリテーションの人たちも、自ら考えて行動してくれました。新型コロナ陽性者の廃用性委縮（いしゅく）（寝たきりや安静が続くことで筋肉や関節が委縮すること）を防ぐために、タブレット端末を用いてリモートでリハビリを行ったり、防護服を着て直接リハビリを行ったりしてくれたのです。

また、栄養管理室の人たちは、病床を減らしたことで余った食事を、近隣の目を気にして昼食時にも病院から外に出られない職員たちに提供する、というアイデアを出してくれました」

リハビリについては、四月十二日から六月三十日までのあいだに、防護服を着ての直接介入が三八八件、リモートは五九件行われたそうだ。

新型コロナで入院するとなると、多くの人は、目の前の感染症を克服することに全意識が向かうはずだ。もちろん、同大附属病院には救命のための最高の治療設備が整っている。それだけでも安心だというのに、退院後のフレイル（虚弱）を防ぐリハビリまでしてくれるなんて、患者は心の底からホッとしたはずだ。

トップは政治的決断が問われる時がある

田中学長の話をうかがっていて一つ気になったのは、先生の皆をまとめ上げるリーダーとしての資質は、どこで育まれたのかということだった。ふと僕の頭を過ったのは、先生の父・田中六助さんだ。一九八〇年前後に内閣官房長官や通商産業大臣を務めた自民党の大政治家だ。

先生のリーダーシップは、父親譲りのものなのだろうか。思い切って聞いてみると、先生は「それはどうでしょうね」と言いつつも、こんな話をしてくれた。

「ただ、父親から『判断力に優れているね』と褒められたことはあります。父親は政治的な判断をする際に、しばしば私に意見を求めるんです。今から考えれば、それは私に対する父の教育だったと思うのですが、ときどき、父の言葉として私の意見が翌日の新聞の見出しになるといったこともありました」

六助さんは大の勉強家だったそうだ。どれだけ夜遅くに帰宅しても、翌日は早朝から書斎で本を読んでいた。そんな父親の背中を見て、田中先生はいつも「自分も勉強しなければいけない」と思って育ったという。六助さんは、六十二歳という若さで他界する。三十代から患っていた糖尿病が原因だった。晩年は併発した網膜症によって、ほとんど字が読めなかった。

「目が見えなくなってから、父親は私にあることを求めてきました。本を音読して読み聞かせてくれというのです。なので私と弟は毎週末、親孝行のつもりで父親の読みたい本を読み聞かせました。そのくらい、父親は読書家だったのです」

変化を進歩にできるかどうか

田中先生には、今後のことについても話をうかがった。まずは大学経営の問題について。同大は、今回のコロナ対応のために、経営的に大きな打撃を受けた。そのため、先生は現在、経営の再建に奔走している。

「本学は、国立大学法人とはいえ、完全な〝親方日の丸〟ではないのです。想像以上の赤字となっているため、文部科学省はもちろん、厚生労働省や東京都などへの経営支援の依頼はもちろん、募金なども積極的に行っています。

経営的には本当に大変ですが、新型コロナに立ち向かってみてつくづく感じていることがあります。それは、陽性者の受け入れを断らなくて済むことが、医療を提供する私たちにとっての大きな存在意義になっているということです。その意味でも、国立大学としての使命を、さらに果たしていかなければならないと強く実感しています」

同大のホームページには「ピンチをチャンスに」とのタイトルで「新学長就任メッセージ」が掲載されている。田中先生は今後を展望しながらも、拡大しつつある第二波を前に気を引き締める。

「新型コロナによってもたらされた変化を、人類の進歩にできるかどうかは私たちしだいです。まさにピンチをチャンスに変えられるかどうかが重要だと思います。

ただ、今はまだ『新型コロナで時代が良くなる』といった楽観的なことは言えません。感染者の方々がどれほど大変な思いをされているか。あるいは、現場の医療従事者たちが、どれほどのストレスを抱えているか。まだまだ皆で頑張らないといけません。医科歯科大学だけではなく、すべての病院が力を合わせて、行政に協力するしかないのです」

東京医科歯科大学は、僕が五〇年前に学生として見ていた大学と様変わりした。日本あるいは東京における、自分たちの役割を明確に意識している。同時に実行に移す時に、「働く仲間を守る」という意識が強い。その結果、今回のコロナ対応では、この取材時まで一度もクラスターを発生させていない。

チームあるいは組織において、医師のようなスペシャリストの存在は大事だが、一方でチームワークにおいては扱いづらい人種でもある。常に組織の頂点で働くことが多い医師たちがバックヤードに自分の役割をみつけるなんて、とてもすごいことだと思う。こういう経験をした医師たちが、コロナを超えて再び研究に従事するようになったとき、日本にとって大事な成果をもたらしてくれるのではないかと思う。

そして彼らが市中の病院で働くようになっても、他の職種とのチームワークを考えられる医師になるのではないかと思った。

コンバージェンス・サイエンスが三〇年の停滞を打ち破る

コンバージェンス・サイエンスとは、複数の学問領域の融合という意味だ。言い換えれば総合知とも言える。工学と生物学が融合することによって生命工学が生まれ、物理学と工学が融合することで物理工学が生まれた。これは原子力やインターネットなどの画期的な技術革新につながっていった。

東工大が強みとする理工学と、東京医科歯科大が得意にする医学。これに情報学やリベラルアーツ、人文社会科学などが加わった総合知で、難病の新しい治療法を開発したり、老化の進行を食い止める方法を見つけ出すことが期待されている。

統合の話は、二〇二〇年に田中学長のほうから東工大側に持ち込まれた。すると、東工大の益学長は、一法人一大学方式で思い切って統合させることを提案し、これに応じたという。二人のトップの勇気がすごい。統合は、世界水準の教育研究機関へと発展する道を開いたと僕は見ている。

政府は一〇兆円規模の大学ファンドで年間三〇〇〇億円の運用益を得て、国際卓越研究大学を二四年から行おうと考えている。毎年数百億円の資金が投入され、最長二五年間助成されるという。

東工大はすでに、羽田空港にもほど近い田町キャンパスに、起業支援施設を作ろうと計画をしていた。このエリアを世界に飛び出せるスタートアップ企業の集積地にしたいと考えていたのだ。その矢先の統合案。世界では、企業の新しいアジア研究拠点がどこになるか、シンガポールやマニラ、バンコクなど激しい競争が始まっている。

新しい産業を生み出せず、経済大国から徐々に経済小国へ落ち始めている日本を再び経済大国へ盛り返していくリードオフマンに、新生・東京科学大学がなっていける可能性があるように思う。

益学長は、学生には高い志を持って失敗を恐れず挑戦しろと言っているのに、我々大人は三〇年間挑戦してこなかった、と指摘する。いっぽう田中学長は、我々は世界で勝負する挑戦の志を持った若い人たち、学生や研究者に集まってほしいと語っている。

この二人は大人と若者の間にできてしまった壁を、壊そうとしている。

僕は東京医科歯科大学を四九年前に卒業した。正直に言うとあまり卒業大学を意識したことはなかったが、新型コロナウイルスとの闘いを東京医科歯科大が始めた頃からなんだか母校に熱い思いを感じるようになった。東工大との統合で名前はなくなっても、東京科学大学ができることを、卒業生として大きな拍手で迎えたいと思っている。

関西発──「KISA2隊」が起こす在宅医療革命。

まだまだ予断を許さないコロナ禍。二〇二〇年末から二一年の二月まで続いた感染拡大の第三波以降は、各地でコロナ患者を受け入れる病床が埋まってしまい、多くの人々が自宅療養を余儀（よぎ）なくされてしまった。第五波の最中にあった、二一年九月一日時点では、全国の自宅療養者は過去最高の一三万五〇〇〇人を超え、東京都だけでも二万人に迫る数にのぼった。

持病があったり、まだワクチンの接種が終わっていなかったり、重症化のリスクにさらされながら自宅で療養する人々はどれほど心細く、不安だったことだろう。自身が自宅療養者であることを自覚した途端に、絶望感に苛まれた人も少なくなかったはずだ。

開業医ができるわけない!?

次の感染拡大に対する備えとして、さらなる病床の確保は喫緊（きっきん）の課題だ。しかしその一方で、新たな希望となる動きが出てきている。第三波以降、京都府と大阪府で活動している新型コロナ訪問診療チーム「ＫＩＳＡ２隊（きさつたい）」の取り組みだ。

今回は、ちょうど全国的に感染者数が減っている時期だったこともあり、この「ＫＩＳＡ２隊」の中心メンバーであり、三十代から四十代という若い医師たち三名に話をうかがうことができた。

第二波が収束傾向にあった二〇年の晩夏。大阪市生野区にある葛西医院の小林正宜院長（三十九歳）の携帯電話が夜遅くに鳴った。電話をかけてきたのは、京都市西京区にある医療法人双樹会よしき往診クリニックの守上佳樹院長（四十一歳）。二人は旧知の仲だった。守上さんは電話口で次のように語った。

「いまは落ち着きつつあるけど、いずれまた感染は拡大する。そのときには、入院できへん患者が出てくるはずや。そうなれば、絶対に在宅での治療が必要になる。しかも、家で入院してるのと同じ治療が受けられることが大事や。それを行政と医師会と保健所を巻き込む形で、まずは京都でやってみようと思ってるねん。全国のどこでも同じ状況が起きてくるはずやから、大阪では小林先生にやってほしいんや」

電話を受けたときのことを、小林さんはこう振り返る。

「気持ちとしては一〇〇パーセント賛同してました。口でも『やっぱり守上先生、発想力が違いますね』とは言ってたんです。でも、本音では九九パーセント実現できないだろうと思っていましたね」

小林さんは大学病院での勤務を経て、祖父の代から続く葛西医院の院長として二〇一八年から地域医療に携わるようになった。最前線に立つ医師だからこそ、地域医療の〝できること〟と〝できないこと〟の線引きが明確に見えていたのだ。しかし、小林さんの予想は、おそらく本人も半ば望んでいたとおり、外れることになる。

京都でコロナの在宅医療体制がはじまった

二〇二〇年末、守上さんがクリニックを構える京都市で、八十代の独居女性のコロナ患者が入院調整中に自宅で亡くなってしまった。その頃、自宅療養中や入院調整中の患者が死亡するケースが、各地で相次いでいた。

「いま動かんかったら、翌週には二人目、三人目の方が家で亡くなってしまう。いよいよ行動を起こすときが来たと思ったんですよね。それこそ、小林先生に電話で語ったように、二〇年の夏から構想は練ってましたから」（守上さん）

ときを同じくして、京都府の入院医療コントロールセンターの医師から、守上さんに連絡があった。入院できる病院もホテルも、すでに満床になっている。自宅療養中のコロナ患者を往診で診ることは、果たして可能だろうか。

守上さんはひとこと「必ずできます」と答え、さっそく体制を構築するために、普段連携している訪問看護ステーションと、薬局の在宅チームに連絡をした。どこも一度は「少し待ってください」と言って話を引き取ったものの、その日のうちに返信があった。「ぜひやらせてください」「やりたいです」――。声をかけた皆が協力を申し出てくれた。そうして、守上さんを含めたドクター二人と看護師三人、薬剤師一人が集まり、二一年二月五日に「ＫＩＳＡ２隊」の活動がスタートしたのだ。

「もちろん、自分のクリニックの医師や看護師にも事前に相談はしました。というのも、コロナ患者の往診には感染のリスクが伴いますから、一人でも反対する人がいればやめようと思ってたんです。でも、蓋を開けてみたら皆が賛同してくれたんです。『先生、もうやるつもりでいるんでしょ？　クリニックは私たちが守るから、ぜひやってください』って」（守上さん）

ちなみに「ＫＩＳＡ２隊」の名称は「Kyoto Intensive Area Care Unit for SARS - CoV - 2 対策部隊」の頭文字を部分的に取った。意味は「京都における新型コロナのための地域集中治療」

とでも訳せば良いだろうか。

「ＫＩＳＡ２隊」では、医師や看護師、薬剤師など全職種の訪問回数がすでに五〇〇〇回（取材時点）を超え、訪問診療を行った患者数は二五〇人を超えるという。

壁を突破するには志と仲間が必要

「ＫＩＳＡ２隊」の活動が始まる前日、またしても小林さんのもとに守上さんからの着信があった。

「明日から活動が始まって、その旨を知事が会見で発表することになったって言うんです。半年ほど前に構想してたとおりに進んでいて、ほんまに恐ろしい人やなと……（笑）。守上先生の見通しと突破力、それから何より志の高さに、これはついていくしかないと思いました」（小林さん）

守上さんのところには医師が二人いたことはとても大きい。もう一つ大事なことは強い志があること。これが「開業医では新型コロナは手に負えない」という壁を突破したのだと思う。

とはいえ、現実的な問題として、守上さんのクリニックとは異なり、小林さんの医院は普段から新型コロナ患者への往診を行っているわけではなかった。感染のリスクやニーズの予見可能性の低さなどの懸念点があり、決して思い付きで踏み出せる話ではなかった。

そんな小林さんの背中を押したのが、大阪市旭区にある医療法人奥内科・循環器科（現在は、おく内科・在宅クリニック）の奥知久院長（四十一歳）だった。実は、奥さんと僕はもう一〇年以上の付き合いになる。二〇一〇年から二〇一九年まで、諏訪中央病院で一緒に訪問診療を行った元同僚なのだ。奥さんは、さだまさしさんが設立し、僕も評議員を務める公益財団法人「風に立つライオン基金」ともかかわりが深い。同基金の事業として行った全国の福祉施設へのコロナ対策の講習会に従事してもらったり、二〇二〇年春に長崎港に停泊していたクルーズ船での集団感染の際に、同基金からの派遣医として働いてもらったりしたのだ。小林さんは、この奥さんがいなければ大阪で「ＫＩＳＡ２隊」の活動が始まることはなかったと振り返る。大事なのはやはり仲間だ。

〝生焼けのたこやき〟

二一年の五月にピークを迎えた第四波の際、奥さんは若手の家庭医や総合医を集めて「（生焼けの）たこ焼きの会」を発足し、自分たちにできることはないかと、ミーティングを重ねた。そこに小林さんも参加していたのだ。しかし、医師たちの集まりでなぜ「たこ焼き」なのだろうか。しかも「生焼け」とは一体……。奥さんは次のように語る。

「僕はこれまでにいろいろな地域で災害医療に携わってきたんですが、それが都市部であればあるほど、若手の家庭医や総合医たちが〝生焼け感〟を抱いているんですよね。本当は動きたいのに、動けば力を発揮できるはずなのに、『自分一人が動いても……』なんて考えて、結局動けずにいるという。

コロナ禍を受けて、自分も含めた大阪の若手の医師たちのあいだにも、そんな〝生焼け感〟があったんです。そういう人たちを集めたら、何かしらの化学反応が起きるんじゃないかなと思って、大阪にちなんで『たこ焼きの会』を発足したんです」

この「たこ焼きの会」には、意外な人たちも集まってきた。なんと諏訪中央病院の若い医師たちが自院の院長に嘆願書を出して大阪に駆け付けたのだ。そうした奥さんの手腕によって徐々に個々の医師たちの〝生焼け感〟が糾合(きゅうごう)され、ついにその熱は沸点に達することになる。

開業のドクターたちはものすごく忙しい。しかも一人で孤立していることが多い。諏訪中央病院から若い医師が駆けつけたことはとても大きな力になったはずだ。壁を突破するときに必要なのは仲間だけではなく助っ人の存在でもある。

左から、守上佳樹さん、小林正宜さん、奥知久さん

ＫＩＳＡ２隊大阪、壁に挑戦

かつてない感染の拡大となった二一年夏の第五波の際、大阪府にはまだ往診チームがなかった。行政だけでなく、府民からも、往診チームの発足を求める声が高まっていた。

「そしたらある日、守上佳樹という爆弾が突然大阪に降ってきたんですよね（笑）」（奥さん）

「なんとかせないかんと思っていた大阪府医師会に、守上先生が京都での取り組みを直接プレゼンテーションしてくれたんです。医師会の反応も良くて『これはすごい』と。ただし、その直後に『大阪でもできるやろうか』『協力してくれる先生方はいるやろうか』との懸念点が浮上したそうです。そしたら、守上先生が『大阪には小林先生と

いう若手の熱い人がいます』って、僕のことを無理やり引きずり込んでくれたんです（笑）」（小林さん）

守上さんからその旨を知らされた小林さんは、すぐに普段付き合いのある診療所に連絡し、協力を仰いだ。すると五つの診療所が手を挙げてくれた。そして今度は自ら大阪府医師会に出向き、改めてプレゼンテーションを行った。結果は採用。九月二日に行われた吉村洋文・大阪府知事と茂松茂人（しげまつしげと）・大阪府医師会会長の共同記者会見で、診療所による往診チームの編成が発表された。こうして「ＫＩＳＡ２隊大阪」が発足し、小林さんが隊長に、奥さんが事務局長に就任する運びとなった。

「ひとつひとつの診療所は、みんな志だけは高いんですが、どうしても規模が小さいために、なかなか新型コロナ患者さんへの訪問診療という一歩を踏み出せませんでした。そんな個々の医師たちを奥先生がグッと引き寄せてくださり、最後は守上先生が押し込んでくださった。お二人がいなければ、絶対にできなかったことだと思います」（小林さん）

日本で初めての抗体カクテル療法

病床が埋まっているために入院ができずに自宅療養となる。おそらく自宅療養者の大半はそうした状況であるはずだが、なかには自ら自宅療養を望む人々がいるそうだ。
「例えば、一人親でお子さんがまだ小さく、両親を頼れない人は自宅療養をせざるを得ませんよね。あと、意外と多いのはペットの世話をしなければならないから入院しないという方々です」（守上さん）
「外国人や精神疾患の方、身体障害者、認知症患者も、なかなか入院はできませんね。特に印象に残っているのは、大阪市西成区の釜ヶ崎に住むベトナム人の若い女性の患者です。コロナ禍の影響で職を失った夫が一足先に母国に帰り、彼女はキッチンやトイレが共同の集合住宅で暮らしているんです。部屋の広さは二畳半。保険証すら持っていませんでした。地域医療の最前線では、そうした社会の歪（ゆが）みがよく見えるんです」（奥さん）
そんな自宅療養の患者たちに朗報が届いたのは二〇二一年九月十七日のこと。厚労省が、重症化を防ぐと期待される「抗体カクテル療法」を自宅療養者への往診でも認める旨を、全国の都道府県に通知したのだ。
実は、この自宅療養者への往診での抗体カクテル療法を全国で最初に行ったのは小林さんの葛西医院だった。大阪府医師会との綿密な連携によって、通知が届いたその日に治療を実施したのだ。

「ＫＩＳＡ２隊大阪の発足前、私たち診療所の医師たちはとてももどかしい思いをしていました。なぜなら、かかりつけの患者さんであろうが、私たちがかかわれるのは検査をするところまでで、治療はまったくできなかったからです。陽性が確認された時点で、その後は保健所の対応になるんですよね。

二〇二〇年から長いあいだそうしたもどかしい思いをしてきたぶん、抗体カクテル療法を実施できたことは、診療所の医師として大きな一歩だったと思います。患者さんも深く感謝をしてくださるので、本当に医者冥利（みょうり）に尽きるというか、医療者としてのモチベーションがさらに上がった気がします」（小林さん）

小林さんの〝全国初〟はそれだけではなかった。同年十月一日に全国で最初に行われた診療所外来での抗体カクテル療法も、葛西医院で実施されたのだ。

「往診による実施も、診療所外来での実施も、きっと私一人ではここまで大きな一歩を踏み出せなかったと思います。ＫＩＳＡ２隊の仲間が後押ししてくれたからこそ、踏み出すことができたんです」（同）

見えてきた課題もある。抗体カクテル療法では、アナフィラキシーなどの副反応が起きるおそれがあるため、十分な経過観察が必要とされる。往診の場合は三〇分かけて治療を行ったあと、自宅前で一時間ほどの待機をしたうえで、二四時間態勢で患者からの連絡に対応しなければならないのだ。

「最初の患者さんには万が一の副反応に備えて、医師二人と看護師一人で抗体カクテル療法を行いました。もちろん、患者さんの安全が最優先ですが、その人員をご自宅前に待機させて拘束（こうそく）するのは、効率的とは言えません。

例えば、タブレット端末などを患者さんの手元に置き、通話をつなぎっぱなしにするなどして対応ができればその懸念は解消されるのですが、厚労省はいまのところそうしたリモートでのモニタリングを認めていません。当然、行政が決めていることは尊重するつもりですが、同時にＩＣＴ（情報通信技術）の活用については積極的に検討していただければと考えています」（同）

ＫＩＳＡ2カフェでジワジワと広げ始めた

二〇二一年十月に入り、かつてない猛威（もうい）を振るった第五波はひとまず収（おさ）まった。そんないま、医療者たちは次の波に向けて体制を整えている。それは「ＫＩＳＡ２隊」も同じだ。

実は、二〇二〇年の晩夏に小林さんにかけた電話のなかで、守上さんはこんな話をしていた。

「構想してるＫＩＳＡ２隊の〝Ｋ〟は京都の頭文字やけど、いずれは関西の〝Ｋ〟にしたいし、できることならこの取り組みを全国に広げていきたいねん」

小林さんが大阪で「ＫＩＳＡ２隊」の活動を始めたのは、守上さんが京都でこの活動を始めた約半年後のこと。第五波が収まり、小林さんは次の波を見据えてこう語る。

「守上先生が言われていたように、全国的にこの取り組みの輪を広げていくことが自分たちに課されたミッションだと思っています」

一方の奥さんは、波が静まっているあいだに多業種によるネットワークを構築しておくことが重要だと指摘する。

「いま、『風に立つライオン基金』と猿田彦珈琲の協力のもと、ＫＩＳＡ２カフェという催しをやっています。この取り組みでは、高齢者福祉のスタッフや障害者支援団体の方々、あるいは訪問看護ステーションの方々などと、コーヒーを飲みながらいざというときにどうするかについて語り合っています。実際に波が来たときにかかわることになる人々とのネットワークを、事前に点検しておくのが目的です」（奥さん）

現在これはさらに発展を遂げ、「ＫＩＳＡ２道場」に変わった。ここでは、勉強会が開かれるだけではなく、実際に小林さんや奥さんが往診に出かけたり、介護施設で高齢者へ向けたワクチン接種を行うときにも、ＫＩＳＡ２道場の勉強会に参加した人たちが専門家として応援に駆けつけている。二〇二三年の今、見事な広がりを見せているのだ。

大きな革命を起こす可能性

コロナ対策を含めた在宅医療の未来に希望はあると思うか――。僕が三名に投げかけた最後の質問だ。小林さんと奥さんは「ＫＩＳＡ２隊大阪」を立ち上げる際に五つの診療所が手を挙げてくれたことや、諏訪中央病院の若い家庭医や総合医が大阪に駆け付けてくれたこと自体が、希望そのものだと答えてくれた。

「諏訪中央病院の若い人たちが大阪にやって来ると、診療のための環境が整っている病院とは異なり、あらゆることが整っていない現場に皆が驚くんです。そして彼らは学びます。総合診療や家庭医療は、病気や臓器だけを診ていればいいわけではなく、患者さんにかかわるすべてのことを診なければならないのだと。私は、彼らのこの学びこそが大きな希望だと思います」（奥さん）

「もう一つは、私たちのような若手の取り組みを、大阪府医師会の首脳をはじめとした医療界の諸先輩方がバックアップしてくださったこと。それも大きな希望だと思っています」（小林

さん）

守上さんによると、京都の「ＫＩＳＡ２隊」にはセラピストも参加し、患者の隔離解除の前から呼吸器リハビリテーションを行っているという。とりわけ高齢患者にとっては、これはフレイル（虚弱）予防にもなる。かねて在宅医療にこだわってきた僕としては、そこに「ＫＩＳＡ２隊」が今後、在宅医療そのものに大きな革命を起こす可能性を感じている。最後に守上さんが嬉しいことを言ってくれた。

「未来を語る際には、イノベーション的な部分に注目が集まりがちですが、僕はどちらかというと、諸先輩方が脈々と受け継いできた思いや気持ちが大切だと考えています。それこそ在宅医療という観点では、これまで鎌田先生が切り開いてくださった道を、今後は僕たち若い世代の連帯によってさらに切り開いていく。ＫＩＳＡ２隊はその一つの象徴だと思っています」

その後の活躍は目覚ましい。

テレビのドキュメンタリー番組「情熱大陸」（ＴＢＳ系列）で取り上げられると、たくさんの寄付も集まるようになった。日本財団からは京都、大阪だけでなく、他の地域に広げるための巨額な資金援助がなされた。これによってＫＩＳＡ２隊は兵庫、奈良など近畿地域に広がり、その後、秋田、栃木、熊本、鹿児島など、全国へ広がり始めた。

彼らのまなざしの先には、日本で大きな災害が起きたときに、災害派遣医療チームＤＭＡＴとは違う姿勢で、住民の身体だけでなく心まで守るような、細やかな支援をする医療集団を目指している。

彼らは見事にクリニックの小さな力を集めて強大な力をつくり始めている。彼らのような若い医師たちこそが、医療の希望だと僕は思う。今後も彼らの取り組みに注目したい。

「絵本の強い力」が大人と子どもの壁を突破する。

絵本に救われたことがある。もうずいぶん昔の話になるが、些細なことがきっかけで高校生の娘との関係がギクシャクした時期があった。関係が修復しないうちに娘は遠くの大学に行ってしまったので、僕は彼女のために毎月一冊の絵本を選んで手紙を添えて送ることにした。

なぜ絵本だったか。僕にはある後悔があった。長子である息子にはたくさんの絵本を読み聞かせてやれたのだけど、次子である娘が生まれた頃の僕は諏訪中央病院の院長をしていて、彼女にはほとんど絵本を読み聞かせてやれなかった。その後悔を埋め合わせるように、大学生の娘のことを思って本屋に通い、毎月一冊の本を送ったのだ。雪解けまでには、それほど時間はかからなかった。しばらくすると、娘から長い返信の手紙が届くようになったのだ。僕が絵本について語るとき、いつも娘のために本屋で絵本を選んでいた頃を思い出して胸が熱くなる。

絵本には、僕たち大人が思っている以上に力がある。現実から目を背けさせてくれたり、嫌なことを忘れさせてくれたりといったまやかしの力ではない。現実と向き合い、困難に打ち勝っていくための本物の力が、絵本にはある。僕はそう信じている。

そんなわけで、今回は絵本を取り上げる。話を聞いたのは、二〇年余にわたって絵本の普及活動に取り組んできたノンフィクション作家の柳田邦男さんだ。僕と柳田さんの付き合いは古く、東日本大震災が起きた年の秋には、奥さまで絵本作家の伊勢英子さんと三人で福島県南相馬市に行って絵本の読み聞かせイベントを開催したこともある。絵本についての話題は尽きない。予定の時間を過ぎてもなお熱弁を振るう柳田さんの絵本への思いは、ひしひしと伝わってきた——。

息子の死が絵本の世界へと導いた

はじめに僕が聞いたのは、柳田さんが絵本の普及活動に取り組むようになったきっかけについて。柳田さんが本格的に活動を始めたのは一九九九年だという。自死されたご次男への追悼記であり、菊池寛賞を受賞された『犠牲（サクリファイス）わが息子・脳死の11日』を刊行したのが九五年だから、その四年後になる。息子の死と絵本の活動には何か関係があったのだろうか。

「直接的な理由は次男の自死でした。ただ、根底には自分が子育てをした一九六〇年代の後半から七〇年代初めの記憶があるんです。当時は新しい翻訳絵本や創作絵本がどんどん出版されて、日本の絵本界が飛躍的に充実し始めた時期でした。それ以前の絵本は、戦前からの勧善懲悪(かんぜんちょうあく)的なおとぎ話ものが主流になっていました。毎日のように子どもに新しい絵本を読み聞かせていると、私自身が感動しましてね。面白いし、深い。特に『ちいさいおうち』や『いたずらきかんしゃ　ちゅうちゅう』などの翻訳絵本は何十回も読みました。その体験が根底にあります。

それから二〇年ほどが経って、次男が亡くなります。ただ呆然(ぼうぜん)としまして、まるで自分を失ったような気持ちでした。そんなある日にふと本屋に立ち寄ると、かつて次男に読み聞かせた懐かしい絵本が平積みされているんです。これには驚きました。私が書くノンフィクションの本なんて、よく売れるものでもせいぜい一年か二年で本屋から消えてしまう。ロングセラーなんて稀(まれ)の稀です。それが、二〇年以上も経っているのに同じ絵本が本屋に並んでいる。思わず懐かしい絵本を手に取り、五冊ほどを買って帰りました。

そのなかの一冊は宮沢賢治の『よだかの星』です。あれは生と死や、人の苦しみ、疎外と孤独が描かれている。まるでフランツ・カフカの世界です。絵本は何も子どもだけが読むものではない。大人が読めば、生と死や人生の意義など、根源的なことを考えるきっかけになる。自分を見つめ直すことだってできる。そのときから大人こそ絵本を読むべきだと思うようになったんです。それが五十代の終わりの私の転機です。

その後、『大人こそ絵本を読もう』と最初に社会に向かって呼び掛けたのは一九九九年春でした。大阪の高槻市が絵本読書推進の宣言をした記念講演に同市出身の肥田美代子さんから招かれた時です。さらにその年の秋には、河合隼雄さんから声を掛けられて、小樽市で松居直さんと私の三人で絵本をめぐる鼎談講演をして、それは『絵本の力』というタイトルで本になっています。そのあたりから急に、あちらこちらから絵本についての講演やエッセイを頼まれるようになったんです」

柳田邦男さん

絵本は人生に三度楽しめる

僕が好きな柳田さんの名言がある。それは「絵本は人生に三度」という言葉だ。有名な言葉だからご存じの人もいるかもしれないけれど、改めてその意味を聞いてみた。

「子どもの頃に親に読み聞かせをしてもらったり、自分自身で読んだりするのが一度目。二度目は自分が親になって子どもに読み聞かせをしてあげるときです。大人になって読んでみると、子どもの頃には気付かなかったさまざまな発見がある。一緒にワクワクしたり、ゲラゲラ笑ったり、ドラマチックだったり。

例えば、『ちょっとだけ』という絵本があります。赤ん坊が生まれてお姉ちゃんになった小さな女の子が、いろいろなことを自分一人でやらなければならなくなる。冷蔵庫から牛乳を出してきて、一人でコップに注ぐ。すると、たくさんこぼしてしまってコップには〝ちょっとだけ〟しか注げない。それでも、女の子は少しだけでも注げたことが嬉しくて美味しそうな表情になる。ところが、お母さんはこぼしたことに目を向けて叱ってしまいます。ここに子どもと親の物の見方の違いがよく表れているんです。

三度目は中高年になってからです。本を読んだり、映画を見たりするのがしんどくなってきたときに絵本を開いてみると、ハッとすることがある。人生経験を積んだぶんだけ深く読むことができるんですね。『絵本は人生に三度』というキャッチフレーズは、私自身の実体験をもとにして生まれた言葉なんです」

「おじさん、私が抱いてあげる」

絵本の力について考えるとき、いつも思い出すことがある。それは冒頭でも触れた南相馬市での読み聞かせイベントのときのことだ。その日の僕は『ぼくをだいて』という絵本を選んだ。何かに抱かれたいという純朴（じゅんぼく）な気持ちを描いた絵本だ。風や夕陽、羊に抱かれていく少年。最後はお母さんに抱かれるシーンで終わる。絵本を読み終わって、ふと「もしかしたらお母さんを亡くしてしまった子がいるかもしれない」と思い、僕は自分の幼少期の話をすることにした。小さいときに実の母親がどこかに行ってしまったこと。育ての両親のもとで養子として育ったこと。それでも、一人前の大人になれたこと。お母さんがいなくても大丈夫だということを伝えたかった。

イベントの最後は参加してくれた子どもたち一人ひとりとハイタッチをして会場を後にするという流れだった。列の最後尾にいた五歳くらいの女の子が何かを言っている。話を聞いてみると「おじさん、私が抱いてあげる」と言って、僕にハグをしてくれた。実の母親と離れ離れになってしまった僕のことをかわいそうだと思って、僕を抱きしめてくれたのだ。被災地に元気を届けに行ったつもりが、思わぬサプライズをもらった。

絵本が命の切なさを教えてくれた

絵本の力をどう感じているか。柳田さんに聞いてみると、これまで一五年間にわたって続けてきたという東京・荒川区での「柳田邦男絵本大賞」について教えてくれた。荒川区では、子どもから大人まで毎年夏に読んだ絵本の感想を柳田さんに手紙形式で送ることができる。募集期間は七月初旬から九月末まで。毎年一〇〇〇通を超える応募があるという。そのなかから柳田さんが選考を行い、大賞や優秀賞などが選ばれる。

「もう一〇年以上前のことです。小学一年生の女の子が『しゅくだい』という絵本を読んで感想の手紙を書いてくれました。動物村の小学校の物語で、ヤギのめえこ先生が出した宿題は家に帰ったらお父さんやお母さんに抱っこしてもらうこと。女の子は『こんなしゅくだいなら、……いっぱいやっちゃいます』との感想を書いてくれました。そして、手紙はこう続くんです。

『ママのだっこは……もっとつづけばいいなとおもいました。パパのだっこはすごくぎゅうう、としてつよかったです。おばあちゃんのだっこはふんわりやさしかったです。おじいちゃんはかたのいたいのがなおったらだっこしてくれるとやくそくしてくれました』と。家族の情景が目に浮かびますよね。感性が鋭(するど)い。大賞に決めました」

福島県南相馬市の読み聞かせイベントで（2011年秋）

柳田さんによると、その女の子は六年生の時も手紙を書いてきてくれたが、その内容は、ショッキングだったという。

「彼女が書いてきたのは今度は絵本『だいじょうぶだよ、ゾウさん』についてでした。死期を悟った老年のゾウを、一緒に暮らしていた幼いネズミが見送る物語です。ネズミは、はじめのうちはゾウの旅立ちを受け入れられません。しかし、弱ってきたゾウをケアするうちにネズミの心は成長していきます。まさにグリーフケア（悲しみの中にある人をサポートすること）やターミナルケア（病気などで余命わずかな患者などに行う医療的ケアのこと）の本質をとらえた絵本です。

では、どうして女の子はその本を読んだのか。なんと、五年生のときに五歳下の弟が白血病で亡くなってしまったのです。そのときの話を六年生になって書いてきてくれたんです。ネズミの心のなかにはずっとゾウが生き続けるのと同じように、私の心のなかにもずっと弟が生き続ける。この絵本を読んでそう思えたから、もう涙を流さずに暮らせるようになった——と。本当に絵本には力があるし、それを受け止める子どもの感性にはすごいものがあります。

柳田邦男絵本大賞では、大賞に選んだ子に私が選んだ絵本三冊をプレゼントします。実は『だいじょうぶだよ、ゾウさん』は、その女の子が一年生のときに大賞を受賞した際に、私が贈ったものだったのです。その子とはいまでも交流があり、大学生になった彼女は白血病や難病などで長期に入院する療養児のケアを行う「子ども療養支援士」を目指しています。話を聞くと、闘病中の弟に何もしてやれなかったことから、弟と同じつらい日々を送る子どもたちのケアをする仕事をライフワークにしようと決心したと言っていました。絵本には悲しみのなかにある一人の少女の人生の選択にまで影響を与える力があるんですね」

この絵本は本当にすばらしい作品で、以前、僕のラジオ番組「日曜はがんばらない」(文化放送、毎週日曜朝六時二十分〜)でも紹介したりした。

生と死から目を背けてはならない

柳田さんはもう一つ『だいじょうぶだよ、ゾウさん』についてのエピソードを話してくれた。それは子どもではなく、終末期の患者の話だった。

「ある女子大学の看護学部の講義を見学させてもらったときのことです。患者さんの気持ちを知るというのがその講義のテーマで、一人の肺がんの末期患者が教室に車椅子で入って来られました。その方が演壇に着き、取り出したのが『だいじょうぶだよ、ゾウさん』だったんです。そして、こんな話をされました。私はこの絵本を枕元に置いています。これを読むことで、私は死を恐れなくなりました。家族には、私が最期を迎えたらこの本を棺桶に入れてほしいと頼んでいます——と。人生の最終章まで支える絵本の力ってすごいなと、本当に感銘を受けました」

柳田さんはこれまで、生と死に関する絵本を積極的に紹介してきた。その背景には、自身が小学生のときに兄と父を、高校生のときに姉の子どもを亡くした経験があるという。子どもなりに人の生き死にについて考えてきたその経験から、生と死は日常のなかにあるものであり、決して目を背けるべきではないと思うようになったのだ。

ところが、柳田さんが絵本の普及活動を始めた頃に、ある児童文学者から厳しい批判を受けたそうだ。児童文学者は「生と死なんて、子どもの絵本の世界に持ち込むべきではない。子どもにそんなことがわかるわけがないじゃないか」と言ったという。

「ショックでしたね。児童文学者ともあろう人物がそんな考えであることに。河合隼雄先生は『生と死は子どもにも大事な問題だ』と言って理解してくださいました。だから私は自分の主張を曲げずに生と死に関する絵本を積極的に紹介してきました。その甲斐もあって、この二〇年ほどで生と死に関するすばらしい絵本がかなり増えましたよ。私は間違っていなかった。声を大にしてそう叫びたいくらいです」

『悲しみのゴリラ』は本当にすごい

柳田さんに、生と死についてのおすすめの絵本を聞いてみた。挙げてくれたのは『悲しみのゴリラ』という絵本だ。柳田さんいわく、ターミナルケアやグリーフケア、臨床心理といった専門的な背景をしっかり踏まえた作品だそうだ。

この本は僕も本当にすごい本だと思う。佐賀に僕の名前を冠した、まちなかライブラリー鎌田文庫という図書館を作ってもらっている。そこでは僕の「今月のイチオシ絵本」というコーナーで、毎月のイチオシ小説や画集、写真集などが一番目立つところに立てかけられている。『悲しみのゴリラ』も今月のイチオシにした。素晴らしい本だ。

柳田さんはこう解説する。

「母親が亡くなり、小さな男の子はどうしたらいいかわからない。父親も悲しみに暮れている。そこにゴリラが現れるんです。はじめはお葬式を遠くから見ているものの、やがて家庭のなかに入ってきて男の子の遊び相手になる。ある日、男の子は父親が密かに自分の部屋で泣いている姿を目の当たりにします。するとゴリラは父親と男の子を太い腕で抱き締める。ここでは大切な人を失ったときには、大人も子どもも同じく癒やしを求めていることが表現されています。抱き締めてくれる人や寄り添ってくれる人がいるかどうかがとても大切なんです。それはセラピストかもしれないし友人かもしれない。

時間が経ち、父親は妻が好きだった花を息子と一緒に庭先に植えて花壇を作ります。その様子を、ゴリラはやや離れた木の下から見ている。そして、花を植え終わった父子が母親を偲ぶ会話をしながら家に戻る時、ゴリラは遠くに去って行きます。ここは、癒やす側の人が気をつけなければならない距離感を表しているんです。つまり、支える側の人はいつまでも支えられる側の人に密着していてはいけない。大切なのは、その人が自立することなんです。

大切な人を亡くした悲しみは乗り越えるとか乗り越えられないといったものではありません。時間が解決するなんていうのは嘘です。悲しみを受け入れて、悲しみを基盤にして生きていくことが大切です。そのときに、支える人が自立を妨げてはいけない。それをゴリラが教えてくれているわけです。ここまで深く考えられた生と死の絵本にこれまで出合ったことがありません。私も本当に感動しました」

各地で盛り上がりを見せる絵本文化

出版科学研究所によると、二〇二一年の絵本市場は前年比で七パーセント増だったそうだ。いまだに収束しないコロナ禍や、ロシアによるウクライナ侵攻などの影響で不安定な状況が続くなか、どうして絵本市場は拡大しているのだろうか。柳田さんは、これまで地道に続けてきた絵本の普及活動が実を結び始めていると言う。その一つの例として「絵本専門士」という資格の話をしてくれた。

「絵本専門士は文科省の下部機関である国立青少年教育振興機構が主宰しており、国家資格である図書館司書に匹敵（ひってき）するほど難度の高い資格です。いま（二〇二二年）は九期生の養成を行っていて、授業は大学院レベルと言っても過言ではありません。当初は一期につき三〇人の定員で始まったものの、希望者が多かったので現在は七〇人となっています。すでに資格取得者は五〇〇人を超え、全国各地で絵本文化の振興のためにさまざまな活動をしてくださっています。

四年前のことです。北海道士別市の女性の小学校教諭は、資格のための講座を受講するか悩んでいました。講座を受けるには東京まで出てくる必要があり、授業を休まなければならなかったからです。すると、それを知った校長が『最果てのまちだからこそ絵本専門士が生まれるのは大切なことだ。行ってきなさい』と背中を押してくれたそうです。

資格を取得した彼女はさっそく『しべつ絵本ツアー』という活動を提案し、教育委員会がそれに予算を付けて実施されました。このイベントは、毎年一回、市内五カ所に読み聞かせの場を設け、親子で各会場をめぐってスタンプを集めると絵本を一冊もらえるという催しです。絵本に親しむだけでなく、地域に対する愛着も持つことができるすばらしいイベントです。

北海道の当別町では子どもが生まれてから六歳まで、絵本専門士の呼びかけで、毎年一〇冊の絵本をプレゼントする取り組みが始まり、佐賀県の伊万里市黒川町では街角に誰でも自由に借りることができる絵本の本棚『まちかど絵本箱』を設置したりと、いまや各地で絵本専門士や絵本活動をしている人々が中心となって、自治体とともに地域の絵本文化を盛り上げているんです。本当に嬉しい限りです」

絵本が教えてくれる死生観

ここからは、僕と柳田さんが大人におすすめする絵本を紹介したいと思う。テーマは「大人が感性を取り戻せる絵本」だ。まずは僕のおすすめから。

一冊目は『100年たったら』（アリス館／文＝石井睦美／絵＝あべ弘士）という絵本。草原の動物を食べ尽くしてしまったライオンは、仕方なく草や虫を食べ、寂しい思いをして過ごしている。そこにある日、一羽のヨナキウグイスが降り立つ。鳥は怪我をしているのか、病気をしているのか、もう飛ぶことができず、ライオンに「わたしを　たべたらいいわ」と言う。しかし、ライオンは鳥を食べずに一緒に暮らすことにする。

鳥はライオンに歌ってやり、ライオンは鳥をたてがみのなかで寝かしてやる。そんなふうに過ごすライオンと鳥だが、ある夜に鳥がライオンに「わたし、もういくよ」「とおいところに」と告げる。ライオンはそれが何を意味するのかを理解し、涙する。それを見た鳥は「またあえるよ」と言う。「いつ？」と尋ねるライオンに鳥は「うーん、そうだね、100年たったら」と答える。

そこから物語は大きく展開し、一〇〇年後にライオンは貝になり、鳥は海の小さな波になって、再会を果たす。また一〇〇年が経つと、今度はライオンが三人の孫のいるおばあさんになり、鳥は孫娘が持ってきた一輪の赤いひなげしの花になってまたしても再会を果たす。そうして生まれ変わっては再会を果たすライオンと鳥は、何度目かの一〇〇年後に、思わぬ形で再会を果たす。

僕は医者であり、医者は科学者である。だから、僕はあの世があるとは考えていない。科学的に証明できないからだ。ただし、緩和ケア病棟で終末期の患者さんたちに接していると、「家族や友達にまたどこかで会える」と思うことで救われている人たちがいることは認めざるを得ない。僕はこの『100年たったら』が大好きで、読むたびに人の〝死〟について考えさせられる。

戦争で世界を征服できるか

二冊目は『せかいでいちばんつよい国』（光村教育図書／作＝デビッド・マッキー／訳＝なかがわちひろ）という絵本だ。ある大きな国が、戦争によって世界を征服しようとしている。世界の征服まで、残すところ一つの小さな国だけとなった。ところが、大きな国の大統領と兵士が小さな国に行くと、その国には兵隊が存在しない。むしろ客のように歓迎されてしまう。大きな国の兵士は、しだいに現地の人々と仲良くなり、小さな国の石けりを教えてもらったり、昔話を聞いたり、歌を習ったり、冗談を聞いて笑ったり、おいしい料理をごちそうになったり、仕事を手伝ったりし始める。その様子を見て機嫌が悪くなった大統領は、自国に兵士を送り返して新しい兵士を呼び寄せるが、時間が経つとまた同じような状況になる。そこで大統領は少数の兵士だけを残して自国に戻ってしまう。

世界は征服できたが、自国に帰ってしばらくすると大統領は異変に気付く。街には小さな国の料理の匂いがして、人々のあいだでは小さな国の石けりが流行っているのだ。物語の最後がどうなっているかはここでは伏せておく。

この絵本からは、本当に強い国とはどんな国なのかということを考えさせられる。いま、僕たちの国では激変する東アジアの情勢からいかに自国を守るかという議論が盛んになっている。安全保障の環境を整備することはもちろん大切だが、数値目標を決めて防衛費を増強するというやり方で本当に良いのだろうか。文化と防衛とをまったくの別物と見てしまってはいないだろうか。

真の勇気とは何か、本当の信頼とは何か

次に紹介するのは、柳田さんが翻訳された『ヤクーバとライオン』（講談社／作＝ティエリー・デデュー）だ。この絵本は第一巻の「勇気」と第二巻の「信頼」の二冊からなる。

アフリカの奥地にある小さな村では、少年が一人前の戦士になるために野生のライオンを仕留めるという風習があった。主人公のヤクーバの目の前に現れたのは傷ついたオスのライオンだ。ライオンはヤクーバに目で次のように語り掛ける。

「おまえがわしをしとめるのは、たやすいことだろう」「おまえには、二つの道がある。わしを殺せば、りっぱな男になったと言われるだろう。それは、ほんとうのめいよなのか。もうひとつの道は、殺さないことだ。そうすれば、おまえはほんとうに気高い心をもった人間になれる」「どちらの道をえらぶか、それはおまえが考えることだ」と。

力尽きたライオンが目の前に横たわっているものの、最終的にヤクーバはそのライオンには何もせずに村へと帰った。ライオンを仕留めてきた仲間の少年たちは、皆が名誉ある戦士となった。ヤクーバに与えられた仕事は家畜の牛の世話だった。

ところが、時間が経ってみるとあることがわかってくる。ヤクーバが牛の世話係になってか

らというもの、家畜の牛が野生のライオンに襲われることがなくなったのだ。ここまでが第一巻「勇気」のあらすじだ。第二巻「信頼」は、その後のヤクーバとライオンの信頼関係について話が展開されるが、ここでは細かく書かないことにする。

柳田さんもよくおっしゃるのだけど、絵本は声に出して読んだほうが良い。特にこの『ヤクーバとライオン』は声に出して読んでもらいたい。真の勇気とは何か。本当の信頼とは何か。そうしたことが、絵をじっくりと見ながらゆっくりと音読していくうちに、わかるような気がする。絵を見て声を出すことでヤクーバに感情移入ができるのだろう。僕の場合は、この絵本を読むたびになんだか襟(えり)を正すような気分になる。

最後に僕が紹介したいのは『ぼくがラーメンたべてるとき』(教育画劇/作・絵=長谷川義史)という絵本だ。この作品は、タイトルにある「ぼくがラーメンたべてるとき」という文章から始まる。男の子がラーメンを食べているときに、隣で飼い猫があくびをする。隣の飼い猫があくびをしたとき、隣家の女の子がテレビのチャンネルを変える。そのときに、これまた隣家の男の子がトイレで温水洗浄便座のボタンを押し、その隣の女の子はヴァイオリンを弾く。

同じときに隣の町の男の子が野球の試合をしていて、隣の隣の町の女の子は卵を割る。ある国では子どもたちが自転車をこいだり、赤ん坊をおんぶしたり、井戸から水を汲んだり、家畜の牛の世話をしたり、路面でパンを売ったりしている。そして別の国では、男の子が地面に倒れている。

近頃はよく「想像力が大切だ」といったことが言われる。確かに、想像力の欠如が乱暴な事件や悲惨な事件を引き起こしているようにも思える。この絵本は、まさに想像力を鍛えるトレーニングになるはずだ。自分が平和な日本という国でおいしいラーメンを食べているとき、世界ではどんなことが起きているか。世界に目を向けなくとも、すぐ近所に貧しさからまともな食事ができない人がいるかもしれない。

僕は、現代社会においては人々がつながっていくことが大切だと考えている。分断ではなく連帯や協調、包摂（ほうせつ）などが大切だと思うのだ。それは各地で健康づくりをやっていても感じるし、イラクやシリアやチョルノービリの子どもたちの医療支援をしていても、ウクライナの避難民の支援をしていても感じる。『ぼくがラーメンたべてるとき』については、作者の長谷川さんの素朴な絵が、想像力を掻（か）き立ててくれる。この絵本も、ぜひとも声に出して読んでもらいたい。

壁を壊すには感性が大事

さて、ここからは柳田邦男さんがおすすめしてくれた絵本を紹介する。柳田さんは僕からのインタビューを受けるにあたって、五冊の絵本を用意してくださった。

一冊目は『ぼくは川のように話す』(偕成社／文＝ジョーダン・スコット／絵＝シドニー・スミス／訳＝原田勝)という翻訳絵本だ。日本では二〇二一年に出版された絵本で、カナダの詩人と画家による作品だ。主人公は吃音(きつおん)がある男の子。学校でうまく話せないのでクラスで差別され、いつも教室の後ろの席で縮こまっている。しかし、先生が男の子を指すと、クラスメイトの視線が一斉に彼に集まってしまう。

あるとき、学校に迎えに来てくれた父親が男の子を川に連れて行った。そして、「ほら、川の水を見てみろ。あれが、おまえの話し方だ」と語り掛ける。男の子が見ると、川は急流になって渦を巻いたり、よどんだりしている。父親は続ける。「おまえは、川のように話してるんだ」と。男の子はこの父親の言葉を受けて、「川だってどもってる。ぼくとおなじように」と、自身の吃音を肯定的に受け止めることができるようになる。物語は、男の子の「ぼくは話す、川のように」とのセリフで結ばれる。この絵本について、柳田さんはこんな話をしてくれた。

「『ぼくは話す、川のように』という吃音を前向きに捉える言葉はもちろん感動的なのですが、私が強調したいのは『おまえは、川のように話してるんだ』と言った父親の感性のほうです。吃音に悩む息子を川に連れて行き、多くは語らないもののヒントを与えて大切なことを本人に気付かせる。大人の読者にはぜひ、このお父さんの感性について考えていただきたいと思います。

私が常々発信している〝大人たちこそ、感性を取り戻そう〟というメッセージにピッタリだと思ったので、第一にこの絵本を紹介しました」

僕たちを取り巻いている壁を壊すにはいくつもの道具が必要だ。その道具の一つに「感性」がある。壁を破るためについつい経済誌や哲学書にヒントがあると考えがちだが、一見弱そうに見える絵本には大切な感性を取り戻してくれる何かが詰め込まれている。その感性を見つけることが大事なのだ。

大人は理屈で考えてしまう

柳田さんが二冊目に紹介してくれたのは『めをとじてみえるのは』（評論社／文＝マック・バーネット／絵＝イザベル・アルスノー／訳＝まつかわまゆみ）という翻訳絵本だ。この絵本は、ベッドに入った小さな女の子の、寝かせつけようとする父親に対する次の質問から始まる。

「ねぇ、パパ、どうして、うみってあおいの?」

父親は想像力豊かな答えを返すものの、女の子の質問はやまない。「あめって、なあに?」「どうしてはっぱは、いろがかわるの?」「ふゆにむかうと、どうしてトリはみなみにとんでいっちゃうの?」「キョウリュウは、どうしていなくなっちゃったの?」「ブラックホールってなあに?」と、矢継ぎ早に〝素朴な疑問〟を父親に投げかける。父親は女の子のすべての疑問にやさしく機知に富んだ答えを出してから「さあ、もうねなさい」と言い、部屋を出ていこうとする。そこで女の子は最後の質問をする。「どうして、ねなくちゃいけないの?」——柳田さんは語る。

「もしも子どもからこんなことを聞かれたら、あなたならどう答えますか。多くの大人は理屈で答えを考えるはずです。ちゃんと寝ないと明日起きられないとか、元気がなくなるとか、健康に良くないとか。しかし、このお父さんは違います。こんなふうに答えるんです。『それはね、めをとじたときにしかみられない、すばらしいものがあるからだよ』と。

私自身、子どもに対してこんなふうに答えられる親だったかというと、反省することばかりです。子どもから素朴な質問を投げかけられたときには、このお父さんのようなことが言える大人になりたいものです。そんな思いを込めて、この絵本を二番目に推しました」

柳田邦男、やっぱりすごい。子どもが自然に発する、優しそうだけど実は難しい質問にどう答えられるか。人生の大切な岐路に立たされたときや、簡単そうで難しい局面で、深みのある答えが出せる人間になれるかが、壁を突破できる鍵になるのではないかと思った。

自分の声で、自分の語調で

三冊目は『そらいろ男爵』（主婦の友社／文＝ジル・ボム／絵＝ティエリー・デデュー／訳＝中島さおり）という翻訳絵本だ。この絵本は一〇〇年ほど前の戦争のいわばおとぎ話。主人公のそらいろ男爵は、爆弾の代わりにたくさんの本を飛行機に積んで戦地に落とす。

ある時には十二巻に及ぶ百科事典を。またある時にはトルストイの『戦争と平和』を。料理の本や思想の本、詩や小説もばらまく。すると、前線の兵士たちは塹壕の中で本に引き込まれて、戦いを放棄してしまう。この絵本について、柳田さんはこんなふうに語ってくれた。

「とてもユーモアに溢れた絵本なのですが、戦争放棄や平和に向かって人の心を強く動かすものは何かという根源的な問いかけをしているのですね。反戦や平和に関する議論となると、すぐに安全保障や核抑止、国益といった話になる。しかし一人ひとりの心のなかにいかに平和を築いていくかという問題こそ重要だと思うんです。

そのためには、文学は最大の武器になります。文学には、戦争の悲惨、人間愛、家族愛、一人ひとりの命のかけがえのなさといったことが描かれているからです。この絵本の絵を描いているデデューさんは、『ヤクーバとライオン』の作者で、哲学的な問題を絵本に忍び込ませる絵本作家です」

柳田邦男さんの最近の大著に『この国の危機管理　失敗の本質』という本がある。東日本大震災と原発事故、そしてコロナ禍へと続いた危機のなかで露呈した日本の戦略思想の欠落。最近の日本の失敗の源流をミッドウェー海戦にまで遡る、柳田さんのノンフィクション作家としての集大成ともいえる渾身のドキュメント作品だ。

日本をもっと強い国にするためには防衛費を倍増することではなく、柳田さんが指摘するようにこの国の危機管理のために、外交力をどう強化していくのかなど、いままったく議論されていないところに大きな問題があると僕は思う。『そらいろ男爵』は絵本の世界ではあるが、本物の平和を作るために何をすべきか。侮れない想像力がここにある気がする。

好きな花を七つあげられる大人でいたい

ここまでは翻訳絵本を三冊挙げてもらったが、ここからは日本の作家の絵本だ。四冊目は詩人の長田弘さんの詩に、画家で絵本作家のいせひでこさんが絵をつけた『最初の質問』（講談社）という絵本。柳田さんは「この絵本はぜひ中高年や社会でリーダーの役割を担っている人に読んでもらいたい」と言う。この絵本は次の言葉から始まる。

〈今日、あなたは空を見上げましたか。空は遠かったですか、近かったですか〉

そして柳田さんは――。

「私は絵本に関するワークショップを行う際に、時折この絵本の冒頭の文章を読むんです。そして子どもたちに聞くんです。『今朝、登校してくるときに空を見ましたか。どんな雲だった？　巻雲？　それとも入道雲？　積雲だった？』と。

子どもたちでもそんな私の質問に答えられる子はほとんどいません。なぜなら、親御さんに空を見る習慣がないからです。ほとんどの家庭において、子どもと一緒に出掛けるときに、空を見て『ああ、今日の空はきれいね』といったことを言う習慣がない。だからこそ、私は〝大人こそ、感性を取り戻そう〟というメッセージを発信し続けているんです」

絵本では、次から次に質問が続く。

〈あなたにとって、いい一日とはどんな一日ですか。『ありがとう』という言葉を、今日、あなたは口にしましたか〉

〈樫（かし）の木の下で、あるいは欅（けやき）の木の下で、立ちどまったことがありますか。街路樹の木の名を知っていますか。樹木を友人だと考えたことがありますか〉

柳田さんが特にハッとさせられたのは次の質問だという。

〈『うつくしい』と、あなたがためらわず言えるものは何ですか。好きな花を七つ、あげられますか。あなたにとって『わたしたち』というのは、誰ですか〉

「こう問われると、多くの大人は答えに詰まってしまうのではないでしょうか。詩というのは、本当に人間の本質を鋭く語ってくれるものだと私は思うんです。そして、絵本は詩と同じように音読するものだと私は考えています。黙読はダメです。聴覚神経を刺激することが大切なんです。子どもへの読み聞かせでは、親子双方の身体の触れ合いを含む五感全体が総動員されて、実に深い体験になります。

上手・下手は関係なく、自分の声で、自分の語調で読めばいい。それから、声を出してゆっくり読まないと、絵を見ない。せっかくの絵本なのに言葉ばかりを追いかけてしまうんです」

最後の一冊は『あさになったのでまどをあけますよ』（偕成社／著＝荒井良二）という絵本だ。この絵本では「あさになったのでまどをあけますよ」というフレーズが繰り返される。窓の外には山が広がっていたり、にぎやかな街が広がっていたり、魚の跳ねる川が広がっていたり、海や空が広がっていたり。

柳田さんの語り――。

「仕事や家事が忙しすぎたり、年老いて気力が落ちたりしている人こそ、荒井さんが描く〝窓〟を取り戻さないといけない気がします。窓から見える景色は環境によって異なるものの、そこにはその家なりの日常が広がっている。朝になったので窓を開けることで、自分自身の今日一日を大切にすることにつながる。

私は朝起きたら心の窓を開ける気持ちで必ず野菜を洗ってサラダを作ります。冬の寒い日でも水で野菜を洗うと心が清々(すがすが)しくなる。それを一日の始まりのシンボルにしているんです。読者の皆さまにもぜひ、自分なりに朝起きたらまずすることを決めるのをおすすめします」

大人からすると、絵本に描かれているのは子ども向けの空想の世界のように思える。しかし、そのようにしか受け止められない大人ほど、柳田さんが言うように絵本を読むべきなのかもしれない。絵本には、僕たちが生きていくうえでとても大切なことが描かれているのだ。

最近絵本を読んだことがないあなたに、ぜひ「私の一冊」をもつことをおすすめする。少しずつ自分の感性に合う絵本が見つかるようになったら「私のベスト3」なんか選んで、時々読んでいると人生が柔らかく温かく変わり始めるはず。カマタのおススメだ。

第5章 この国の「壁」の突破法

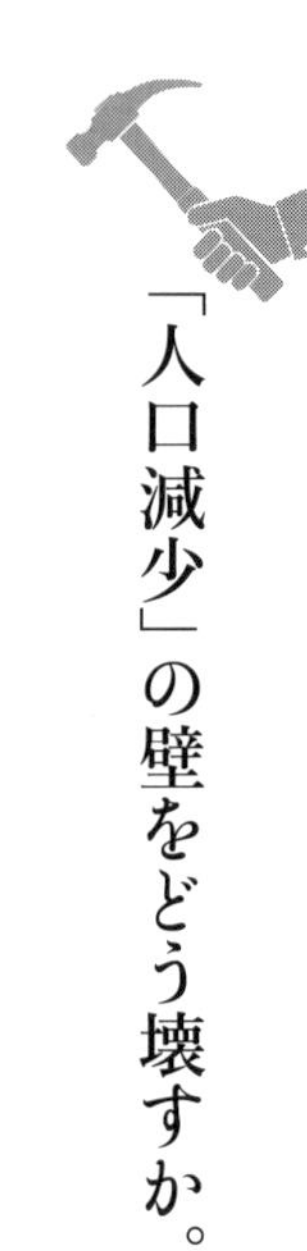

「人口減少」の壁をどう壊すか。

この国が直面している大きな壁のひとつ——それは人口減少だろう。

二〇〇八年に日本が人口減少の局面に入ってから、一五年が経つ。

人口減少は今後も続き、何も対策を講じなければ、二〇六〇年には約九二〇〇万人、二一〇〇年には約五三〇〇万人まで日本の人口は減少するという推計がある。ピークを迎えた二〇〇八年の人口が約一億二八〇〇万人だったことを考えると、半分以下になってしまう可能性があるのだ。

いまでこそ国民の多くが豊かな生活を送れている日本だが、経済のマイナス成長にしても、人口減少にしても、〝縮小社会〟と呼ばれて久しい僕たちの国は、この先どうなっていくのだろうか……。そうした未来に対する漠然とした不安を解消するためには、まず現状を知るところから始めるほかにない。

話を聞いたのは、内閣官房参与の山崎史郎(やまさきしろう)さん。もともとは厚生労働省の官僚で、二〇〇〇年にスタートした介護保険の立案から施行・改正までかかわった社会保障制度のプロフェッショナルだ。現在は、内閣官房の全世代型社会保障構築本部で総括事務局長を務めておられる。

じつは山崎さんと僕は旧知の仲である。というのも、介護保険をつくる際に僕も医療者の立場から尽力させてもらい、山崎さんとはそのときからお付き合いがあるからだ。東日本大震災の被災地で僕たちが医療ボランティアの活動をしているときには、当時、首相秘書官だった山崎さんに現場で出たいくつかの困りごとを相談し、解決のために手を打っていただいたこともある。

人口減少は分断の壁をつくる

そんな山崎さんが二〇二一年十一月に、小説『人口戦略法案』を上梓(じょうし)された。同書はあくまでフィクションなのだが、人口推移や出生率などのデータはすべて実際の数値が用いられている。政府内に設けられた「人口戦略検討本部」の官僚たちが、問題を緻密(ちみつ)に分析し、さまざまな議論を重ねながら「人口戦略法案」の成立に向けて奔走するという物語だ。論文として読めば難しく感じる内容が、小説のスタイルにすることで読みやすく、人口問題の優れた解説書になっている。

そんな山崎さんに、まずは初歩的なことから質問してみた。人口減少は良くないことなのかどうか。日本政府はいま、将来にわたって〝一億人国家〟を維持することを長期目標に掲げている。しかし世の中には、人口が減るのであれば小さな国としてやっていけばいいじゃないか――と考える人も少なくないはずだ。

「いま、出生率が高く〝勝ち組〟と言われている国の一つにスウェーデンがあります。ただし、そのスウェーデンの出生率も一〇〇年ほど前は欧州最低水準で、大きな政策論争が巻き起こっていました。そのときに議論をリードしたのが、後にノーベル経済学賞を受賞したグンナー・ミュルダールという経済学者です。

ミュルダールは、人口減少が続けば主に次のことが起きると言っています。①いずれ消費や投資が減り、最終的には失業や貧困が増加すること、②出生率の低下に伴う高齢化の進展によって、労働意欲・労働生産性が低下し、広範な社会心理的停滞が引き起こされること――です。

私はこれらに加えて、③若者たちのあいだに閉塞感が蔓延(まんえん)し、絶対的なマジョリティである高齢者とのあいだに分断が生じて、民主主義が立ち行かなくなること――を懸念しています」

(山崎さん)

二一一〇年というと遠い未来に感じるかもしれないが、よくよく考えてみると二〇二二年に生まれた子どもが八十八歳になる年だ。いまのシニア世代の孫が生きている時代と思えば、決して遠い話ではない。

「仮に、将来一億人が維持できなかったとしても、未来の人たちが安心して豊かな生活を送れるようにいまの我々が精一杯の努力をしたのであれば、将来世代も多少は納得をしてくれるはずです。もしも我々の世代が、自分たちさえ逃げ切ることができれば……といった行動を取ってしまうと、彼らの閉塞感や世代間の分断は深刻なものになってしまうでしょう」

山崎史郎さん

深刻化する人口減少の要因

山崎さんによると、コロナ禍によって雇用の面で弱い立場に立たされている若者たちが大きな苦難を強いられ、出生率も婚姻数も減少したことで、人口減少は推計より何年も早く進んでしまったそうだ。

では、そもそもどうして日本の人口減少はこのような状況に陥ってしまったのか。

山崎さんはこんなことを述べている。

「日本の社会保障は、社会保険制度などによって提供されていますが、その給付は、本人の雇用の形態や有無によって異なっています。勤めていようが勤めていまいが同じ内容の給付が行われるのは、介護保険の対象となる高齢者ぐらいです。

現役世代の場合は、社会保障は、本人の雇用状況によって大きく異なります。例えば、出産後、育児のため仕事を休むと給付される育休給付は、主として正規雇用である、雇用保険の加入者のみが対象です。雇用保険の対象とならない非正規雇用者や個人事業者には育休給付はありません。ところが、九〇年代後半以降、若年層、特に女性を中心に非正規雇用が一気に増えたため、育休給付が受けられないケースが大きな割合を占めるようになりました。

そういう方は、出産によって仕事を辞めるか、それとも子どもを持つことを断念するかの二者択一を迫られる状況になっています。このように仕事と育児が両立できない実態が、出生率低迷に拍車をかけたのではないかと考えられます。就業形態の変化に政策が追い付いていなかったとも言えます」

先に日本の人口減少は二〇〇八年から始まったと述べたが、合計特殊出生率（一人の女性が一生の間に産む子どもの数）の低下はそれよりずっと前から起きていた。一九七〇年代後半にはそれまで「二」前後で推移していた出生率が大きく低下し、一九八九年には「一・六」を切る。そして、人口のピークを迎える少し前の二〇〇五年には過去最低の「一・二六」まで落ち込んだのだ。

一九七〇年代後半から八〇年代、出産奨励（しょうれい）政策はタブー視され、出生率はいずれ回復するだろうという楽観的見通しのもとで、対策は全く講じられなかった。これが第一の敗北となる。そして一九九〇年代前半には第二の敗北が起きる。政府は少子化対策に初めて取り組んだが、質・量ともに十分でなく、さらに子育て制度拡充への有権者の理解が得られなかった。結果的に対策は後回しにされた。そして第三の敗北は、一九九〇年代後半から二〇一〇年代前半。第三次ベビーブームが期待されたが、経済危機が発生する中で晩婚化の進行と未婚化の急増により出生率が一・二六と過去最低に落ち込んだ。二〇二一年には出生率は再び一・三〇に低下。二十代後半のみならず三十代の出生率も下降傾向にあり、出生率の本格的な回復は見通せない状況になり、第四の敗北かもしれないと言われている。

たちはだかる「三つの壁」

ここで疑問に思うのは、どうしてこれまで抜本的な対策を講じてこなかったのかということだ。政府が初めて少子化対策に乗り出したのは一九九〇年代前半だそうだが、質・量ともに十分でなかったことの理由として、山崎さんは「増加」と「減少」の見え方の違いを挙げた。

「例えば、要介護の高齢者については、統計を見るまでもなく、家族や地域など日常生活のなかで〝増えている〟ことが実感できます。ところが、子どもの数に限らず〝減っている〟ことはなかなか実感できない。特に、全体は減っているのに、若者が流入し続けている大都市圏では逆に増えているわけですから。本当は統計から起こるべき将来の問題をイメージして対策を講じなければならないのですが、実際には難しい。

仮にイメージができたとしても、多くの人々は眼前のことに忙しくて、明日より今日、来年より今年を生きることに精一杯で、将来世代の問題は先送りされがちです。

私自身、介護保険の議論をしていた九〇年代後半には、少子化の問題がこんなに深刻になるとは、思ってもいませんでした」

人口減少がこのような状況に陥ってしまった理由として、山崎さんはさらに〝三つの壁〟があると教えてくれた。

「一つ目は〝第一子の壁〟です。これは、結婚の機会や若者の経済力の問題、さらには育児と仕事の両立などが大きな障壁になっています。二つ目の〝第二子の壁〟では第一の障壁に加えて男性の育児参加についての大きな影響があります。男性が育児に参加しない・できない場合、第二子を諦めるケースが多いとされています。そして三つ目の〝第三子の壁〟では、学費や住まいが大きな障壁になります。子どもの教育費は、相当な家計の負担になりますし、住居費が高くつく都市部では三子以上を持つのは難しいとされています。

ちなみに、こうした壁は、職住近接であるかどうかや、近所に親や兄弟姉妹などの親族がいるかいないかによって、困難の度合いが変わってきます。日本の場合は、親の親、特に祖母の育児への協力が大きな力となっています。しかし、地方から大都市に移動した若者の場合は、そうした〝祖母力〟の支えもなく、育児において孤立しがちと指摘されています」

ここで僕のアイデアを述べておく。実家が遠くて頼れない母親に〝第二のお母さん〟のようなヘルパーを派遣できる支援があると良い。頼れる人が周囲におらず、産後うつになりかけたときに駆けつけてくれる人がいれば、どれだけ心強いだろうか。

ヘルパーには、子育てのみならず人生そのものの経験が豊富なシニアを活用してもらいたい。利用者と血の通った交流が生まれれば、まさに〝第二のお母さん〟の役割が果たせるのではないだろうか。そうした個々の結びつきが、希薄になった地域のつながりを再び取り戻してくれるように思う。

恒久的財源を探せ

山崎さんの小説『人口戦略法案』の面白いところは、フィクションでありながら、物語のなかで官僚たちが度重なる議論の末に辿り着いた改革案が、現実における人口減少や出生率の低下に対する具体的な提言になっている点だ。

小説では、出生率向上のための〝三本柱〟として、①「子ども保険」②「不妊治療・ライフプラン」③「結婚支援」――の三つの施策が提示されている。また、「地方創生」の観点の重要性や、「移民政策」の難しさなど、さまざまな角度から人口問題についての議論が繰り広げられる。

それらのうち、多くの人々にとって聞き慣れないのは「子ども保険」だろう。「子ども保険」とは、「自分が子どもを持っているかどうかを問わず、すべての『親世代』が、すべての『子ども世代』が安心して養育が受けられるようにするために、お金を拠出する仕組み」のこと。

政府は異次元の少子化対策と言いながら、どこからお金を持ってくるのか、はっきりとした計画を示していない。安定的な財源としては、一、各社会保険制度からの拠出金、二、税（消費税、復興税的な付加税）、三、一般社会拠出金が考えられる。経済の勢いが下り坂の日本にとって、新たに恒久的財源を見つけるのはなかなか困難な課題だ。この三つのいずれも現実には難しい。この「子ども保険」は恒久的財源を探す一つの案として、一考の余地があるように思う。保険料は、高齢者も含めて、すべての「親世代」が負担するとともに、経済界も拠出し、さらに国や地方も費用を負担する。つまり、社会全体で育児費用を負担し合う仕組みである。「子ども保険」はあくまでフィクションだし、財源を国民や企業が負担するという点で、実際に議論が始まればどの程度の理解が得られるかはわからない。だけど、人口減少という壁に風穴を開けるための思考実験としては実に興味深いと僕は受け止めている。

さらに「子ども保険」は、子育て世代の生活への支援や経済効果の面では、大きな効果が見込まれるのではないかと思っている。なぜなら、子育て世代への給付は、日々の生活費用に直接あてられ、貯蓄にまわることがほとんどないからだ。

少子化が進み、若者が減ったときに一番困るのは企業である。労働力が減るだけでなく、消費者も減り、市場が縮小するからだ。ゆえに経済界にも保険料として費用拠出をお願いする必要がある。「子ども保険」は、経済界にとっても意義が大きい政策なのだ。

一方、すべての「親世代」が負担するというのはどうだろうか。

四十代から介護保険料を出してもらうことで介護保険という制度が成立した。そのお返しに今度は高齢者の僕たちも、「子ども保険」を応援させてもらう。これで出産も育児も安心して行えるようになる。

合計特殊出生率が二・九五（二〇一九年）という驚異の数字を出している岡山県奈義町の子育て支援策がすごい。高校生まで医療費自己負担なし。高校生の就学支援として、年間一三万五〇〇〇円支給。ひとり親世帯には子どもが中学三年になるまで、年間五万四〇〇〇円支給。さらに在宅育児支援として月一万五〇〇〇円支給。町内居住者には奨学金の半額返済免除。小中学校の教育教材費無償。アドバイザーを配置した集いの広場を作ったり、一時預かりの子育てサポートも充実させている。また、保護者自身も当番制で汗をかく自主保育も行われている。

こんな支援が行われると子どもも多くなり、若者たちも世代を超えて応援してもらえていると感じるだろう。若い夫婦も子どもたちも自分たちが大事にされていると思うことで、社会全体に流れているギスギスした空気がもっと温かくて、希望に満ちていくのではないだろうか。

子どもや孫がいない人のなかには、それを文字通りの〝負担〟と感じる人も出てくるはずだ。しかし、〝社会的扶養〟という考え方がある。子どもや孫がいない人でも、高齢期になれば介護保険や年金のような、自分の子や孫ではない若い人たちに支えられた社会保障制度から、ベネフィット（恩恵）を受けている。すなわち自分の子どもや孫に扶養してもらうのではなく、社会に扶養してもらっているのだ。だから支えてもらった分、今度は若い人たちを支える。

そして〝未来への投資〟という考え方もある。子ども保険は、世代間の分配の性格を帯びた施策といえる。親世代にとってみれば自分の老後を含めた生活を支えてくれる将来世代へ投資することであり、それにより人口減少を食い止め、世代間の対立を予防することができる。

「子ども保険」と聞くと、そもそも「子どもを育てるのはリスクではないだろう」という批判もあるかもしれない。確かにそうだ。でも「子どもには適切な環境で育っていく権利がある。それが侵(おか)されるリスクを社会全体で防ぐための保険」と考えられないだろうか。名称は「子ども保障」でも「育児保険」でもかまわない。

日本にだってできないはずがない

先述のとおり、「子ども保険」以外の出生率向上のための柱には、他に「不妊治療・ライフプラン」と「結婚支援」がある。不妊治療については、二〇二二年四月から公的保険の適用範囲が拡大されるなど、政府の施策はよく知られているはずだ。

他方、「ライフプラン」とは例えば「子どもを持つのか、持たないのか」、持つのであれば、「いつ頃」「何人持ちたいか」「持つまでどう過ごすか」といった人生の計画だ。

ライフプランを持つためには、女性の働きやすさを改善することが大事だろう。イギリスの

『エコノミスト』誌が国際女性デーに毎年発表する、主要の二九カ国を対象に行う女性の働きやすさを指標化したランキングでは、日本は二八位でワースト2（二〇二三年）。しかも七年連続である。この働きやすさを改善しなければ自分が持っているライフプランを実現することはなかなか難しいだろう。

福祉施設などを運営する合掌苑グループでは、働きやすい職場環境の構築を図っている。年二回、七〜一〇日間の長期休暇が取れるようにしたり、小さい子どもを抱えた女性社員には、子どもの発熱などに応じた看護休暇を法令より多く設定している。さらに子ども一人につき、手当て一万五〇〇〇円、シングルマザーはその倍額を支給。残業も発生させないよう工夫し、夜勤は夜勤専従者を採用し、正職員の夜勤を原則なくしたという。女性の働きやすさがこれによってずいぶん変わったと職員から声が寄せられている。各企業での女性の働きやすさの急速な改善が必要であると思う。

「地方創生」についてはどうだろうか。この点では、子ども保険が〝東京から地方への流れ〟を強める契機となるのではないか、と山崎さんは述べる。少子化や人口減少が最も早く深刻化するのは都市部ではなく地方であり、ゆえに対策の緊急性は地方ほど高く、出産・子育て支援に意欲的に取り組むことが期待できるというのだ。

「北海道の上士幌町は、女性が働きやすい環境を整えるなど、少子化に伴う人口減少の対策に一生懸命に取り組んでいます。その結果、移住者が増え、出生率も上がっているのです。都市部よりも先に問題が深刻化しているというのは、裏を返すと、有効な対策を取れば都市部より先に問題を解決できるということです。子ども保険は、そんな地方の取り組みを後押しする施策と言えます」

僕も上士幌町には講演で訪れたことがある。ふるさと納税で成功をしたことをきっかけに、集まったお金を利用して保育料や給食費、高校卒業まで医療費の無料化も行い、安心して子育てができる環境を整えた。さらに移住してくる若者への住居の整備も行い、子育て世代だけでなく、退職したアクティブシニアも歓迎するムードを作った。そして、ついに五〇年ぶりに人口が増加。ちょっとした発想があれば壁を壊せるのだ。

――「介護の社会化」から「子育ての社会化」

人口減少への対策が奏功した国として、山崎さんは先にスウェーデンを紹介してくれたが、他にはどうだろうか。スウェーデンと同様に一〇〇年前からこの問題に対峙し、出生率の回復を実現した国として、フランスが挙げられるという。また、近年の取り組みを見れば、スウェーデンを参考に政策転換を行ったドイツが成果をあげ始めているそうだ。

「二〇一一年のドイツの出生率は『一・三九』と日本と同じ水準でしたが、二〇一六年には『一・六〇』まで回復し、二〇一九年にも『一・五四』の水準を保っているんです。一〇年前まで同じ水準だったドイツが、政策転換で成果をあげているのですから、同じことが日本にできないはずがないと思います」

では、小説のなかの「人口戦略法案」のような政策を実現するために最も重要なことは何か。最後にそのことを山崎さんに聞いてみた。

「介護保険のときに感じたことが二つあります。一つは、政策を推進しようとする人々の広がりが重要だということ。もう一つは、そのためには、将来を見据えた大きな視点を持ちつつ、現場の声をきめ細かく政策に反映させていくことです。

介護保険は、行政官や政治家が主導して始まった施策でしたが、文字通りの〝七転び八起き〟を経て、最後は制度を支持する人々が手弁当で尽力してくださったからこそ創設することができました。将来を見据えることと現場の声を政策に反映することは、鎌田先生の言葉を借りれば〝鳥の目と虫の目〟の両方を大切にするということです」

介護保険をつくるときによく言われたフレーズに〝介護の社会化〟という言葉がある。いまでこそ、介護保険によって社会全体で高齢者を支えるというのが当たり前になっているものの、二〇〇〇年以前は、介護は家庭内で行うものといった考え方が一般的だったのだ。

いまはまだ、子どもは親が育てるものという考え方が一般的かもしれないが、人口減少や出生率の低下を食い止めるためには、介護のときと同様に〝育児の社会化〟が必要なのだろう。

岸田首相は国会答弁でもどこからお金を持ってくるかを述べていない。税金でも各社会保険制度からの拠出金でも、結局は国民に負担をお願いするしかないのだ。

本当にどこからもお金を出せないならば、税金の無駄遣いを、大なたを振るって徹底的に排除する厳しい政治を選択できるか。結局お金の話から逃げられないのだ。そのことを肝に銘じる必要がある。

子どもと子育て世代に対する社会保障

二〇二三年四月一日、その〝育児の社会化〟が実現に向けて動き出す。日本の社会保障制度の大きな転換点とも言える「こども基本法」と「こども家庭庁設置法」（ともに二〇二二年六月二十二日公布）が施行されたのだ。

いまの日本の社会保障制度は、決して十分なものとは言えない。とりわけ子どもや子育て世代に対する社会保障はかなり手薄だ。諸外国と比較したときの子ども・子育てに関連する日本の予算の少なさがそれを物語っている。内閣府が毎年発表している「少子化社会対策白書」の二〇二二年度版によると、日本の家族関係社会支出の対GDP比は一・七三パーセント（二〇一九年度）。国民負担率などの違いから単純には比較できないようだが、フランス（二・八五パーセント）やイギリス（三・二四パーセント）、スウェーデン（三・四パーセント）などの欧州各国と比べて低水準に留まっている。

二度目のベビーブームが起きた一九七〇年代以降、日本の少子化は加速し、その状況は時間の経過とともに深刻化している。追い打ちをかけたのはコロナ禍だった。厚生労働省の統計によると二〇二〇年の出生数は約八四万人、二〇二一年は約八一万人と大幅に減少しており、二〇二二年は七九万九七二八人。この現実は恐しい。国立社会保障・人口問題研究所が二〇一七年に発表した今後の人口減少の予測より八年も早い七〇万人台の到来ということになる。

人口減少の対策はもはや待ったなしだ。子どもを望むすべての人々が安心して子を生み育てられる社会を築かなければならないし、生まれてきた子どもたちが家庭状況にかかわらず平等にのびのびと学べるようにしなければならない。そうした問題意識を持つ人々は、今春に施行される「こども基本法」と「こども家庭庁設置法」に大きな期待を寄せている。

壁を壊すのは「市民の声」

一九五〇年に一歳八カ月で養子に出された僕は、とても貧しい家庭で育てられた。両親の最終学歴はともに小学校卒。貧しさゆえに数多くの苦労を強いられたけれど、当時は近所のおばさんたちがご飯を食べさせてくれたし、アルバイトをしたり、奨学金を借りたりして、何とか高等教育を受けることができた。僕が十代を過ごしたのは高度経済成長期の真っ只中。人々の暮らしが日に日に豊かになり、社会に余裕があった時代だったからこそ、僕はこうして育つことができた。

それがいまはどうだろうか。約三〇年にわたって経済は低迷し、社会に余裕がなくなってしまった。問題は少子化だけではない。コロナ禍によって、この数年間で子どもの虐待（ぎゃくたい）や不登校、いじめ、自殺が増えてしまっている。これらの問題は、新たな法律ができたからといって一朝（いっちょう）一夕（いっせき）に解決できるものではない。むしろ法整備は転換のための端緒（たんちょ）に過ぎない。今後はこの国に暮らすすべての人々が一丸となって、少子化対策や子ども・子育て政策の実効性を高めるために努力する必要がある。

僕が共同代表を務めている「子ども・子育て市民委員会」（以下：市民委員会）は、そんな思いを共有する人々によって二〇二二年八月に創設された。共同代表には他に、元消費者庁長官の板東久美子さん、福岡県古賀市長の田辺一城さんが名を連ねている。公益財団法人「さわやか福祉財団」の会長を務める弁護士の堀田力さんに顧問をお願いしている。すでに数多くの方々が賛同者として僕たちの取り組みを支援してくださっている。

同年十一月十二日、市民委員会は東京都内で発足シンポジウムを開催。会場は約一〇〇名の参加者で満席となり、約一九〇名がオンラインで参加してくれた。ここではシンポジウムの内容を紹介し、読者の皆さまにも子ども・子育てに関する課題を共有したい。

国債で将来にツケを回さないで欲しい

安心して子どもを生み育てられるよう、妊娠・出産・子育てに対する切れ目のない総合的な給付保障制度を構築する。そのためにはどうすれば良いか――。シンポジウムはこのテーマのもと四部構成で行われた。第一部は子どもを代表して中高生が、第二部は子育て世代と支援者の代表が、第三部は経済界と労働界の代表が、そして第四部は国会議員と基礎自治体の首長がパネリストとして登壇し、立場や世代を超えた活発な議論が行われた。

第一部で登壇した森垣穂香さん（高校三年）、箱田晴大さん（高校二年生）、若狭留名さん（中学三年生）、山口清崇さん（中学二年生）の四名が口を揃えて言ったことがある。それは「子どもに対する差別をなくすために、就学期はもちろん就学前から人権教育を行ってほしい」「将来にツケを回さないためにも、少子化対策や子ども・子育てに関する政策の財源に国債をあてないでほしい」といった具体的な提案だ。

「社会問題と教育」をテーマにさまざまな活動を行う森垣穂香さんは、こんな話をしてくれた。彼女はこれまでさまざまなアクションを起こしてきたが、「子どもだから」「高校生だから」「女の子だから」と硬直的な意見を投げかけられるなど、子どもであるがゆえの制約を感じることが少なくなかったという。そうした経験を踏まえて「国連の子どもの権利条約には、私たち子どもに〝生きる・育つ・守られる・参加する〟の四つの権利があることが明記されています。そのことを社会全体で認知してほしいと思っています」と指摘する。

多様な子育てサポートサービスが必要

第二部では、子育て世代と支援者の代表が支援の実情を共有したり、具体的な提言を行ったりした。妊娠に関する相談を請け負うＮＰＯ法人「ピッコラーレ」（東京・豊島区）の中島かおり代表理事は、すでに各自治体では妊娠期からの切れ目のない支援というコンセプトでの施策は始まっているものの、実際の支援は妊娠届を提出してから行われることを指摘。最前線の現場では、それ以前から利用できる相談事業などの制度が必要だという。そして「新たな制度をつくるというよりは、すでに存在する細かな支援メニューを、相談事業を担う人々が網羅(もうら)していることが重要です」と述べた。

東京・台東区の谷中周辺エリアで活動する乳幼児家庭のコミュニティ「谷中ベビマム安心ネット」の代表・石田桃子さんは、二つのことを提言した。一つは妊婦健診や出産、高等教育の無償化などの金銭的な支援メニューの充実。もう一つは、児童虐待やDVの加害者へのカウンセリングや回復プログラムなどの支援だ。石田さんは「どうして社会はこんなに子どもや子育てをする親に冷たいのだろうと思うと、怒りすら感じます。経済的・気持ち的に余裕がない家庭では、親が子どもの話に耳を傾けなくなり、やがて夫婦喧嘩や虐待、DVに至ってしまうのです」と語る。

「港北区地域子育て支援拠点どろっぷ」(神奈川県横浜市)で利用者支援専任職員として働く大槻智子さんは、区役所と共同で実施した四カ月健診時のアンケート結果を共有してくれた。それによると、里帰りせずに夫婦のみで産後を過ごす人が、コロナ禍が始まって二年間で八・二パーセントも増えたという。そして、利用者からの問い合わせメールには「土曜日の預かりはある？」「預け先があるかどうかで生むか生まないかを決めたい」といった言葉があったそうだ。

すべての子どもが豊かに遊べる東京を目指して活動している一般社団法人「ＴＯＫＹＯ ＰＬＡＹ」代表理事の嶋村仁志さんは、子どもが遊ぶことの意義と、遊びに関する諸外国の事例を紹介した。遊びは子どもの本能であり、主体的に育っていくために必要なことだが、日本ではその環境がどんどん縮小している。僕が住む長野県のある地域では、「子どもが遊ぶ声が騒がしい」という近隣の苦情によって、公園が廃止されるという悲しい現実も起きてしまった。

嶋村さんは「イギリスのウェールズは、政府が指針を出し、行動計画を定めて子どもが遊ぶ環境の整備を義務化しました。日本にもぜひ、そうした取り組みをしてもらいたいと思います」と提言した。

経済界にとっても人口減少は大きな問題

続く第三部では、経済界と労働界の代表がそれぞれ意見を述べた。東京海上ホールディングス（東京・千代田区）の永野毅取締役会長は、子育て環境の整備のために企業ができることとして、①賃上げ②賃金カーブの是正③働き方改革――の三つを挙げた。また、同社が行っている夫婦参画型の家庭と仕事の両立支援セミナーを紹介した。そのうえで、永野会長は「子どもを安心して生み育てられる社会を目指して、政府だけでなく企業も国民も、社会全体ですべてに取り組んでいかなければなりません」と語った。

食品メーカー「キユーピー」（東京・渋谷区）の中島周取締役会長は、同社が長年にわたって取り組んできた小学生向けの食育活動や、二〇一七年に設立した「キユーピーみらいたまご財団」による食育や貧困対策を行う団体への支援活動などを紹介。中島会長は世界的な人権団体での活動にも積極的に取り組まれており、その見地から、見落とされがちなＬＧＢＴＱ（性的少数者の総称）の子どもらへの支援の必要性についても言及した。

労働界の代表としては、連合の小林司生活福祉局長と労働者福祉中央協議会の南部美智代事務局長がそれぞれ発言した。小林局長は、昨年初頭に連合が実施したアンケートの結果を紹介。子育てに関する設問に対して、女性からは「ジェンダーバイアスを感じる」との声が、男性からは「仕事と育児が両立できない」との声が、男女ともに「職場の環境整備と育児への理解が不十分」との声が多かったという。政府が「こども基本法」を制定して「子どもまんなか社会」を目指すとしたことは評価した上で「子どものの権利条約を踏まえていこうということですので、今後はその実効性確保が求められると思っております」と述べた。

政治も急に力が入ってきた

第四部では三名の国会議員と、二名の基礎自治体の市長が登壇した。ちなみに僕は、この第四部の進行役を任された。自民党の後藤茂之経済再生担当大臣は、兼任している全世代型社会保障改革担当大臣の立場から、内閣官房による「全世代型社会保障構築会議」の議論の内容を紹介。同会議で議論されている「妊娠・出産・子育てに対する切れ目ない伴走型相談支援」「三歳児未満の一時預かりなどの低年齢児の子育て支援」「仕事と子育ての両立支援」は、僕たち市民委員会が八月に公表した緊急アピールの内容と一致している。後藤大臣は今後の取り組みについて次のように述べた。

「総合経済対策では、伴走型相談支援と経済支援を一体的に実施する事業を新たに創設しました。これを一回限りではなく、継続的な取り組みとして進めて参ります。また、四月には子ども家庭庁での議論が始まり、子ども大綱が策定されます。子ども政策を我が国のど真ん中に据えて、皆さんと一緒になって知恵を出し、政府としても、政治家としてもしっかりと臨んで参ります」

公明党の山本かなえ参議院議員の話は後述する。立憲民主党の岡本あき子衆議院議員は、同党が新たに設置した「子ども・若者応援本部」の事務局長として登壇した。はじめに、子ども・子育て関連予算をGDP比の三パーセント以上にすることを改めて政府に対して要望。そして、政府の新たな子育て支援策として妊婦や二歳児までの子どもに対して配布される一〇万円分のクーポンの財源について「国が三分の二、都道府県と市町村で三分の一を負担するという制度設計になっておりまして、地方自治体に差が出るのではないか。こういう不安を抱えております。どの地域でも安心できる社会を求めていきたいと思っています」と述べた。

愛知県高浜市の吉岡初浩市長は同市が実施しているマイ保健師の取り組みなどを、神奈川県鎌倉市の松尾崇市長は同市が制定した「共生社会の実現を目指す条例」「子どもがのびのびと自分らしく育つまち鎌倉条例」などを紹介した。

第一部で登壇した中学二年生・山口清崇さんは、子ども関連予算の財源についての発言のなかで、二〇二二年十一月八日に公明党が発表した「子育て応援トータルプラン」に言及し、次のように述べた。

「(同プランには)今回のシンポジウムと同じく、希望すれば誰もが安心して子どもを生み育てられる社会を構築する、とありました。それにはやはりお金が必要で、追加の予算は約六兆円だと書かれていました」

シンポジウムで登壇した政治家以外のパネリストのなかから、特定の政党の政策プランに言及したのは山口さんだけだった。きっと財源のことを一生懸命に調べるなかで行きついたのが公明党のプランだったのだろう。僕はこの「子育て応援トータルプラン」をかなり高く評価している。そこで山本議員には、同プランを軸に話をしてもらった。

山本議員いわく、この政策プランは一九六四年の結党以来一貫して取り組んできた公明党の子育て支援策の一環だという。一九六九年の教科書の無償配布に始まり、一九七二年の児童手当制度の創設、近年においては幼児教育・保育の無償化、不妊治療の保険適用など、公明党はさまざまな子ども・子育て政策を実現してきた。ところが、コロナ禍によって少子化が想定を上回るスピードで進み、虐待やいじめ、不登校、自殺の増加など、子どもたちを取り巻く環境が深刻化している。誰もが安心して子どもを生み育てることができ、かつ十分な教育が受けられる社会づくりを国家戦略に据えなければならない——。その認識に立って策定されたのが「子育て応援トータルプラン」だという。山本議員は語る。

「プランの策定につきましては、実は約一年半もの歳月を費やして参りました。有識者の方々からのヒアリングや視察はもちろん、我が党の国会議員と地方議員の全員で二〇二二年一月から二月にかけて現場をくまなくまわり、アンケート調査も実施しました。子どもたちや若者、子育て世代の方々とも意見交換を積み重ね、プラン策定のプロセスを進めてきたのです」

実は、公明党は二〇〇六年に「少子社会トータルプラン」を策定し、「働き方改革」と「子育ての負担軽減」の二本柱を据えて「チャイルドファースト」(子ども優先)社会の構築を推進してきた。「子育て応援トータルプラン」では、その二本の柱に「子どもまんなか社会の実現」「男女不平等の解消」「若者が将来の展望を描ける環境整備」の三本の柱を新たに加えたという。そして、「結婚」「妊娠・出産」「未就園児」「幼児教育・保育」「小中学校」「高校等」「大学等」のライフステージや子どもの年齢に応じた切れ目のない支援の充実を掲げている。具体的には「出産一時金の増額」「専業主婦家庭も定期的に利用できる保育制度の創設」「送迎バスを含めた安全対策の強化」などだ。

――市民委員会が提案する子供予算倍増とは

二〇二二年十二月二十六日、地域共生政策自治体連携機構の主催で、全国の市長、町長などが参加する首長連絡会が開かれ、子ども子育て市民委員会が、「子ども政策の充実に向けて」をテーマにパネルディスカッションを行った。そこで市民委員会は、子ども予算について六・六兆円の追加投入プランを提起した。政府は今年度の骨太の方針において、将来的に予算倍増を目指していく道筋を示すという方針を明らかにしている。私たちはこの政府の方針に大きな期待を寄せているが、現時点では子ども予算倍増の規模や内容は明らかにされていない。そこで今後の国民的な議論を喚起するため、私たちが考える子ども予算倍増の規模と主な柱を提案したのだ。

防衛費の増額と財源の議論が注目を集めており、その中で子ども予算倍増が国民にとって、同じ「負担増」という視点から見る論調があるが、それは不適切であることを付言しておきたい。この追加的資金は防衛費とは異なり、すべて国民に還元され、若者の所得を増やし、消費を高めるものであるからだ。だから負担というよりは投資として考えるべきであり、防衛費と同列に論じるべきではない。

これまでのところ、ベースとなる子ども予算の概念そのものが明確となっておらず、こども家庭庁所管予算が約四・七兆円。少子化対策関係予算が六兆円。家族関係社会支出と考えると約一〇・七兆円。捉え方によって大きな幅がある。

本提案では少子化対策関係予算を六・六兆円の規模で考えた。

妊娠時からの伴走型支援と子育て支援サービスの給付保障を約〇・五兆円。産休育休など両立支援の拡充に約〇・五兆円。所得制限の撤廃など児童手当の拡充に約三兆円。保育の質の向上、一人親家庭支援の強化で約〇・五兆円。保育、教育費の無償化、約一・五兆円。医療費の無料化と産婦人科の強化、約〇・六兆円。全部で六・六兆円だ。

「母になるなら、流山市。父になるなら流山市。」というキャッチフレーズを掲げ、人口動態調査で二〇一六年から二一年まで六年連続で、全国の市の中で人口増加率首位を走っている千葉県流山市の人口は、この一〇年間で約三万八〇〇〇人も増加した。

安心して子育てをしながら働くための、保育園を含めたインフラ整備の充実に成功したのだ。流山市や岡山県奈義町のように全国どこでも努力をすれば、安心して子どもが産み育てられるまちにできるのだ。

少子化というこの国の壁を崩さないと介護保険制度も国民皆保険制度も崩壊する

人口減少が進むと、いずれ介護保険を支えている四十〜六十五歳の人口が減り、六十五歳以上の人が増えることで介護保険は維持できなくなる。

国民皆保険制度は日本の宝であるが、これも同様で、医療保険をあまり利用しない若者が減り、病院によくかかる高齢者が増えると医療費が増大する。国民皆保険制度も成立しなくなっていく。

だから人口減少を食い止めるために、子ども子育てに国民が一丸となって当分の負担をする必要がある。戦後日本は、最も貧しかったが、ベビーブームが起きて人口が急増するのをバネにして、経済大国にのし上がっていった。やはり子どもがたくさん生まれる環境を築くことはとても大事なのだ。

国会議員の方々の話を聞いて、改めて思ったことがある。それは、この国の未来を左右する子ども・子育て政策についての議論においては、どうか党派性や政局に左右されないでいただきたいということだ。

子ども・子育てに関する予算が各国と比べて少ない状況はなるべく早期に是正しなければいけない。ただ、是正するためには財源を確保する必要があり、それは誰の目から見ても容易なことではない。

国債を財源に当てることで「将来にツケを回さないでほしい」という中高生たちの言葉は重い。未来を生きる人たちのためにも、いまを生きる我々が、子ども・子育て政策に対する恒久財源を確保できるように勇気を持って議論する必要がある。

だからこそ、党派性や政局に振り回されるのではなく、いま現実に困っている人々のための実効性のある議論を積み重ね、「この国の壁」に穴を開けていきたいものだ。

いよいよ二〇二三年四月に「こども基本法」と「こども家庭庁設置法」が施行された。若い人々が安心して子どもを生み育てられ、子どもが平等にのびのびと学べる社会を築くためにも、社会全体でこの課題の解決に取り組んでいかなければならない。

【謝辞】

二〇二三年三月末、首相官邸に呼ばれた。子ども政策の強化に関する関係府省会議が開かれ、「子ども子育て市民委員会」のヒアリングが行われたのだ。

そこで、①仕事と子育て両立支援関連制度の統合②子育て支援の給付保障③子育てサポートプランと伴走型相談支援④社会全体で支え合う恒久的財源の確保などを訴えた。

この国の周りに立ちはだかっている壁に、小さな風穴が開き始めた。壁をまず意識すること、そしてその壁を少しでも壊していくことが大事。壊せない壁はないと信じている。

この新書作りに二人三脚でパートナーを組んでくれたのは潮出版社の末永英智さん。彼との付き合いは長い。たくさんの資料を集め、この国の「壁壊し名人」と思う人に、二人で話を聞いてきた。刺激的な時間だった。この本を作る経過の中で僕の行動のパターンも少しずつ変わってきた。僕自身もこの国の壁を壊すために動き出したのは彼のおかげだと思う。

心から感謝して、筆を置きます。

本書は、月刊『潮』連載「鎌田實の『希望・日本』」の一部を収録し、
加筆・修正したものです。時系列や肩書き、各種統計データ等は
掲載当時のものです。

【初出】
・「皆が幸せになるお金」をつくることはできないか。（2021年6月号）
・日本発のデジタル通貨は世界を変えるか。（2022年4月号）
・想いの込められた「お金」の流れが社会を変える。（2021年12月号）
・〝尊厳〟に満ちた最期を求めて——がんステージ4の緩和ケア医の挑戦。（2022年9月号）
・「死」は、生きることに組み込まれている（2022年8月号）
・「生まれてこないほうが良かった」——その内なる声に抗う。（2022年2月号）
・世界最高齢DJの「無手勝流」壁壊し。（2022年5月号）
・高齢社会の誤解の壁——「一人暮らしのほうが老後は幸せ」って本当？（2021年10月号）
・佐賀県を日本一の健康長寿のまちに。（2021年3月号）
・患者と仲間たちをコロナから守る。（2020年9月号）
・関西発——「KISA2隊」が起こす在宅医療革命。（2022年1月号）
・「絵本の強い力」が大人と子どもの壁を突破する。（2022年12月号、23年1月号）
・「人口減少」がもたらす未来を回避するために。（2022年7月号、23年2月号）

鎌田 實

かまた・みのる

一九四八年東京都生まれ。東京医科歯科大学医学部卒業後、諏訪中央病院へ赴任。三十代で院長となり、潰れかけた病院を再生させた。「地域包括ケア」の先駆けを作り、長野県を長寿で医療費の安い地域へと導いた。現在、諏訪中央病院名誉院長、地域包括ケア研究所所長。一方、チェルノブイリ原発事故後の一九九一年より、ベラルーシの放射能汚染地帯へ一〇〇回を超える医師団を派遣し、約十四億円の医薬品を支援（ＪＣＦ）。二〇〇四年からはイラクの四つの小児病院へ四億円を超える医療支援を実施、難民キャンプでの診察を続けている（ＪＩＭ－ＮＥＴ）。東北はもとより全国各地の被災地に足を運び、多方面で精力的に活動中。ベストセラー『がんばらない』他、著書多数。

 053

この国の「壁」

2023年 4月20日 初版発行

著 者｜ 鎌田 實
発行者｜ 南 晋三
発行所｜ 株式会社潮出版社
〒102-8110
東京都千代田区一番町6 一番町 SQUARE
電話 ■ 03-3230-0781（編集）
■ 03-3230-0741（営業）
振替口座 ■ 00150-5-61090

印刷・製本｜ 株式会社暁印刷
ブックデザイン｜ Malpu Design

ISBN978-4-267-02389-7 C0295